O'R LLECHI I'R CERRIG
ATGOFION MEDDYG CEFN GWLAD

O'R LLECHI
I'R CERRIG

ATGOFION MEDDYG CEFN GWLAD

Dr EDWARD DAVIES

GWASG Y BWTHYN

ISBN 978-1-907424-58-8

Cyhoeddwyd gyda chymorth ariannol
Cyngor Llyfrau Cymru

Dyluniad y clawr: Dylan Williams

Cyhoeddwyd ac argraffwyd gan Wasg y Bwthyn, Caernarfon
gwasgybwthyn@btconnect.com

RHAGAIR

Bu nifer o'm cyfeillion yn f'annog i ysgrifennu ychydig o atgofion, ond bûm yn petruso am gryn amser. Un rheswm oedd nad oeddwn yn dymuno achosi unrhyw dramgwydd.

Ysgrifenais y rhan fwyaf o gynnwys y gyfrol fechan hon tra'n glaf yn yr ysbyty.

Rwyf wedi ceisio cymryd gofal beth i'w gynnwys ac er y byddai'n hawdd amlhau geiriau nid wyf yn dymuno blino'r darllenydd.

Fy mwriad yw rhoi cipolwg ar rai agweddau o bractis hynod o wledig yn ail ran yr ugeinfed ganrif. Yn awr mae llawer llai o ymweld â chleifion yn eu cartrefi gan fod cyfleusterau i ddod i'r feddygfa lawer yn well. Er hynny, credaf fod gweld y claf yn ei gartref yn gallu bod o gymorth i feddyg ddeall problem.

Bu datblygiadau mawr ym maes meddygaeth yn y chwarter canrif ers i mi ymddeol. Mae astudiaethau genetig, nid yn unig yn dangos gwreiddiau clefydau ond hefyd yn arwain at driniaethau gwell i glefydau etifeddol yn y dyfodol. Mae rhagolygon y bydd nifer gynyddol yn byw yn gant oed cyn bo hir.

Wrth gyhoeddi'r hanes hwn mae fy nyled yn fawr i nifer o bobl. Yn gyntaf hoffwn ddiolch i'm cyfeillion yng Ngwasg y Bwthyn am eu caredigrwydd a'u hamynedd. Diolch arbennig i'r Prifardd Geraint Lloyd Owen am olygu'r gwaith ac am ei sylwadau gwerthfawr.

Hoffwn hefyd ddiolch i Gyngor Llyfrau Cymru am eu cymorth ariannol i gyhoeddi'r gwaith.

EDWARD DAVIES

'Yno mae fy seithfed nef'

Perthyn i fro mebyd atgofion hudolus, yn arbennig felly os digwydd bod yno gymuned unigryw. Yn aml yn fy meddwl rwyf fel y Tebot Piws, 'yn mynd yn ôl i Flaenau Ffestiniog canys yno mae fy seithfed nef'. Yno, yn Rhiwbryfdir, y'm ganwyd ar 25 Mawrth 1926 gyda chymorth gefel yn nwylo medrus Dr Gwilym Parry Hughes. Y canlyniad oedd pant bach ar ochr dde fy nhalcen. Pan oeddwn tua deg oed gofynnais i Mam beth oedd ei achos, a'r eglurhad a gefais oedd fy mod wedi syrthio oddi ar siglen pan oeddwn yn fach! Ar ôl i mi raddio byddwn yn gweld Dr Parry Hughes mewn cyfarfodydd meddygon a byddwn yn estyn bys at f'arlais er mawr ddifyrrwch iddo!

Roeddwn yn unig fab i John Isaac Davies a Catherine Ellen Davies. Chwarelwr oedd fy nhad a bu'n gweithio am y rhan fwyaf o'i oes yn Chwarel y Llechwedd. Câi ei adnabod fel Jac Cyllell Fach oherwydd ei sgìl i naddu llechi gyda'r erfyn hwnnw. Hanai o Ddeiniolen ac yn ddwy ar bymtheg oed rhedodd ef a'i gyfaill i ffwrdd i listio yn y fyddin mewn ymateb i apêl Kitchener, 'Your Country Needs You' ar ddechrau'r Rhyfel Byd Cyntaf. Cafodd ei glwyfo'n dost yn y Dardanelles ac arhosodd ei brofiadau i'w boenydio gweddill ei oes. Llawer tro clywais ef yn griddfan mewn hunllef. Ychydig flynyddoedd yn ôl cefais gyfle i ymweld â Suva Bay a thraeth Dardanelles. Yr hyn oedd yn drawiadol oedd gofal awdurdodau Twrci am y mynwentydd lle gorweddai llawer o'r milwyr, yn arbennig gwŷr ifainc Awstralia. Codai'r tir lle glaniwyd y milwyr i fyny'n serth o'r traeth ac mae ffosydd Twrci wedi'u diogelu ar ben y bryn.

Roedd teulu fy mam wedi'i wreiddio yn Llanfrothen a Phenrhyndeudraeth. Fe'm bedyddiwyd Edward John James Davies ac awgrymodd un wag wrthyf petawn i'n syrthio i ryw lyn y byddai rhywun ar y lan yn siŵr o ofyn, 'Sawl un ohonoch chi sydd yna?' Yn fuan cafodd ei gwtogi i Eddie, enw, yn fy marn i, oedd yn fwy cymwys i droseddwr yn Chicago. Roedd gennyf un chwaer chwe blynedd yn hŷn na mi. Ei henw bedydd oedd Catherine Ann, ond fel yn f'achos i, cwtogwyd ef i Attie. Roedd yn eneth dalentog a chanddi lais contralto melys ac yn arlunydd o gryn dalent. Bu'n athrawes yn Ysgol Gellilydan am nifer o flynyddoedd ac roedd yn weithgar yn ei chymuned ym Mhenrhyndeudraeth. Daeth cwmwl dros ein teulu oherwydd iddi gael damwain ffordd angheuol wrth ddychwelyd o gyngerdd Nadolig yr ysgol yn 1972. Roedd iddi ddau fab: John Wyn Huws sydd wedi hen gartrefu yng Nghanada ac Alun 'Sbardun' Huws, sydd wedi gwneud cyfraniad sylweddol i ganu poblogaidd yng Nghymru.

Pan oeddwn yn bedair oed ymfudodd y teulu i fyw i

Danygrisiau gyda fy nain a oedd yn weddw. Roedd afon yn rhedeg gyferbyn â'r bwthyn a Rheilffordd Ffestiniog yn cydredeg â hi. Pan euthum i Lerpwl i'r coleg bûm yn colli clywed murmur y dŵr yn y nos am gyfnod maith. Pan oeddwn yn saith oed cefais lawdriniaeth hynod o gyffredin bryd hynny, sef tynnu fy nhonsiliau. Ar fore'r llawdriniaeth anfonwyd nifer ohonom ni blant mewn tacsi i'r Ysbyty Coffa, ac yn dilyn y driniaeth cawsom ein symud i Ysgol Maenofferen i orwedd ar fatresi mewn ystafell yno. Yna ar ôl te daeth y tacsi i'n dychwelyd adref. Am flynyddoedd roedd arogli nionyn yn f'atgoffa o anesthetig ether. Un o gymhlethdodau tynnu tonsiliau yw gwaedlif gormodol ond ymddengys nad oedd llawer o bryder am hynny.

Derbyniais f'addysg gynnar yn Ysgol Glanypwll, ac addysg uwch yn Ysgol Sir Ffestiniog. Mae ein dyled i'r athrawon ymroddedig yno yn anfesuradwy. Roedd rheol yn yr ysgol uwchradd yn pennu bod y disgyblion i gadw llidiart yr ysgol ar agor i'r athrawon. Ond digwyddodd un tro trwstan i mi yn y cyswllt hwn. Wrth i nifer ohonom ruthro drwy'r llidiart ni welais Mr David Hughes, yr athro mathemateg, yn agosáu â'i ddwylo yn ei boced, a dyma adael i'r llidiart gau'n glep ar ei wyneb a chnocio'i sigarét o'i geg. Ni chefais fy ngheryddu; cerddodd ymaith wedi'i syfrdanu. Fel y mwyafrif o'r athrawon roedd ganddo ffugenw, sef Amos, oherwydd ei arfer o broffwydo pwy fyddai'n llwyddiannus yn arholiadau'r CWB.   Yn Saesneg yr oeddem yn derbyn ein haddysg yn y ddwy ysgol, fel y digwyddai yn ysgolion eraill Cymru'r cyfnod. Roedd angen dewis pa bynciau i'w hastudio yn yr ysgol uwchradd ac am ryw reswm annelwig dewisais Ffrangeg yn hytrach na Chymraeg, er mawr ofid i mi. Trwy ffawd, yr oedd athro Lladin arbennig iawn yn yr ysgol a Mr Morris a ddeffrôdd fy niddordeb yn llenyddiaeth fy mamiaith. Arferai Moi Lat adrodd cywyddau Goronwy Owen a rhai o feirdd y canoloesoedd i ddatgelu cyfrinachau'r *spondee* a'r *dactyl* a dysgu mydrau barddoniaeth Ladin i ni. Coffa da am un o'r hen athrawon, gŵr unllygeidiog, braidd yn fyr ei dymer. Arferai deithio i'r ysgol ar feic modur. Un hydref, ac yntau ar ei ffordd adref yn y gwyll, gwelodd, yn ei dyb ef, olau dau feic modur, un bob ochr i'r ffordd yn dod i'w gyfarfod. Penderfynodd fynd heibio rhyngddynt. Yn anffodus goleuadau modur oeddynt.

Ysgrifennwyd llawer am fywyd yn ardal y chwareli ac roedd yn fraint cael tyfu i fyny yn ei hawyrgylch. Rhydd Geraint Vaughan Jones ddarlun byw iawn o sefyllfa'r chwarelwr yn hanner cyntaf yr ugeinfed ganrif yn ei nofel *Teulu Lòrd Bach*. Drwy lygaid plentyn gwelais yr anghyfiawnder oedd yn bodoli, yn arbennig yn achos clefyd y llwch. Pur dlawd oedd cyflwr y mwyafrif o drigolion y Blaenau yn y cyfnod rhwng y ddau Ryfel Byd. Diwydiant ansicr oedd chwarela llechi, yn amrywio gyda sefyllfa economaidd y wlad. Pan fyddai'r galw am lechi'n prinhau dywedai'r chwarelwyr, 'Mae hi wedi mynd yn smit.' Cafodd glowyr de Cymru lawer mwy o sylw na chwarelwyr gogledd Cymru oherwydd eu bod yn llawer mwy niferus. Prin bod mwy na 15,000 yn y diwydiant llechi yn ei anterth tra oedd 517,000 yn gweithio yn y glofeydd yn 1891. Yr oedd glowyr a ddioddefai o *pneumoconiosis* (clefyd y llwch) yn gymwys i dderbyn iawndal ers 1912, ond bu'n rhaid i'r chwarelwyr aros tan 1948 cyn derbyn unrhyw gymorth ariannol. Mae cwpled Meirion Hughes, Caernarfon, yn disgrifio effaith y llwch yn gryno:

I'r chwarel ni ddychwelant,
Henwyr caeth yn hanner cant.

Gan fod y llwch yn braenaru'r tir i'r diciâu cafodd aml i ŵr ifanc gam oherwydd i rai o feddygon y weinyddiaeth feio'r clefyd yn hytrach na'r llwch am gyflwr y claf. Symbylodd hynny fi i geisio ysgrifennu llyfr i gofnodi caledi'r cyfnod a pheryglon y gwaith. Cyhoeddwyd y llyfr yn 2003 o dan y teitl *The North Wales Quarry Hospitals and the health and welfare of the Quarrymen*. Roedd traddodiad o gynnal ei gilydd yn gryf ymysg y chwarelwyr. Yn aml, pan fyddai penteulu wedi cael damwain neu salwch oedd yn ei atal rhag gweithio, cynhelid cyngerdd elusennol gyda thalentau lleol yn cymryd rhan i godi arian i estyn llaw. Droeon eraill cesglid arian yn y chwarel. Ceir cofnod fod gŵr o'r enw Rees Morris yn chwarel Cwmorthin wedi syrthio ar ddyddiau caled a chafodd ganiatâd i gasglu arian i brynu ceffyl! Roedd gweithgareddau cabanau chwareli yn adnabyddus; ynddynt cynhelid dadleuon ar faterion llosg y dydd megis gwleidyddiaeth neu amodau gwaith ac ati. Nid oedd prinder cymdeithasau ac roedd Aelwyd yr Urdd lewyrchus yn y dref ond canolbwynt diwylliant y fro oedd y capel.

11

Disgwylid i ni fynd i'r capel dair gwaith ar y Sul:
oedfa nos a bore ac ysgol Sul yn y prynhawn. Ar
ddiwedd yr ysgol Sul byddem yn cael chwarter awr o
hyfforddiant mewn Tonic Sol-ffa ac roeddem yn
adnabod Curwen's Modulator yn dda! Byddai cyfarfod
gweddi ar nos Lun a seiat ar nos Fercher, a disgwylid
i'r plant hŷn fynychu un ohonynt. Roedd yn ein capel
yn y Rhiw un aelod y byddem ni, laslanciau, wrth ein
boddau pan gymerai ran yn y cyfarfod gweddi. Pe bai
modd trosglwyddo'i ddawn i ras Grand Prix, byddai'n
sicr o guro Lewis Hamilton bob tro! Câi ei adnabod fel
Gwilym Sydyn. Roedd ei wraig yn fwy hamddenol ac
yn cael ei hadnabod fel Jini Lonydd. Bob nos Fawrth
byddai'r mwyafrif o'r plant yn mynd i'r Band of Hope,
lle rhoddid pwyslais ar i bob un ohonynt gymryd rhan.
Cynhelid cyfres o gyngherddau ar nos Sadwrn yn
festri Capel Jerwsalem, gyda gwahanol eglwysi'n
darparu'r rhaglen, ac roedd llawer o dalentau yn y fro.
Byddai'r festri dan ei sang gan mor boblogaidd
oeddynt.

Un o ddigwyddiadau pwysicaf y capeli oedd y
Gymanfa Ganu flynyddol, gyda'r ysgolion Sul yn
gorymdeithio ar hyd y Stryd Fawr y tu ôl i'w baneri.
Cynhelid cymanfa'r plant yn y prynhawn yn ein capel
ni, sef Capel y Rhiw. Roedd yno organ bib hardd
uwchben y pulpud ac oddi tanodd roedd yr ystafell
bwmpio. Fel arfer byddem ni, fechgyn yn ein har-
ddegau, yn cymryd ein tro i chwythu'r organ. Ar
achlysur fel cymanfa ganu byddai tri ohonom yn yr
ystafell bwmpio. Yn ystod un gymanfa, a minnau'n
brysur yn pwmpio, chwaraeodd un o'm cyd-chwythwyr

dric arnaf. Roedd peg pren yn cysylltu pwmp yr organ â megin, a heb unrhyw rybudd tynnodd Jo y peg ac euthum innau a'm traed i fyny. Gwaetha'r modd, methodd Jo ailosod y peg a'r canlyniad oedd i'r organ redeg allan o wynt ar ganol emyn. Nid oes angen dweud ein bod wedi cael ein ceryddu'n bur llym gan y pen-blaenor. Un Nadolig, a hithau'n llwm iawn a'r chwareli dan bwysau smit, bu'r blaenoriaid yn trafod anrhegion i'r plant. Arferem dderbyn afal ac oren. Er y tlodi roedd yr aelodau'n benderfynol fod y plant i gael anrheg gan Siôn Corn – pobl oeddent â'u bryd ar ein hyfforddi i fod yn gymwynaswyr a dinasyddion da. Y plant oedd yn cael y flaenoriaeth.

Achlysur blynyddol arall o bwys oedd y carnifal a gynhelid i gefnogi'r Ysbyty Coffa. Ymhlith y gwisgoedd lliwgar roedd un cymeriad adnabyddus yn sefyll allan, sef Charlie Chaplin. Preswyliai dynwaredwr yr eilun ryw ddau gan llath oddi wrthym yn Nhanygrisiau.

Pan ddaeth dyddiau ysgol i ben euthum ymlaen i astudio meddygaeth ym Mhrifysgol Lerpwl rhwng 1943–1949. Roeddem fel y mwyafrif o'r chwarelwyr yn dlawd, a golygodd fy ngyrru i'r ysgol feddygol aberth mawr i'm rhieni. Roedd naw ohonom ni, Gymry, yn gyd-fyfyrwyr yn yr un flwyddyn yn y coleg ac roedd un aelod anrhydeddus o Sais, bonheddwr o'i gorun i'w sodlau a chanddo gariad angerddol at Gymru. Dysgodd Dr Sydney Lovgreen Gymraeg, priododd Gymraes, a gwasanaethodd yng Nghymru gydol ei yrfa. Ef oedd tad y cyfansoddwr a'r datgeinydd adnabyddus Geraint Lovgreen. Cafodd pedwar ohonom siom yn ein trydedd flwyddyn oherwydd ein bod yn rhy ifanc i fynd ar y wardiau ar ôl yr ail arholiad MB. Roeddem wedi disgwyl cael arbed cost un flwyddyn ond yn hytrach cawsom ein gwneud yn arddangoswyr anatomeg, di-dâl. Felly treuliwyd blwyddyn yn ychwanegol yn yr ystafell dyrannu (*dissecting room*). Cawsom lawer o hwyl ond ambell dro trwstan hefyd. Fy nyletswydd gyntaf yn yr ystafell lawdriniaeth oedd cynorthwyo Mr J Howell Hughes, y llawfeddyg oedd mor adnabyddus i drigolion gogledd Cymru. Roedd am drychu coes fadreddog drwy'r forddwyd. Fy rhan i oedd cydio ynddi tra llifiai yntau drwy'r asgwrn. Bedydd o ddifri gyda'r arogl a'r golwg oedd arni ac rwyf yn llwyr gredu bod rhyw led-wên yn ei lygaid pan edrychai arnaf. Gallai Mr Hughes dynnu pendics drwy agoriad o tua modfedd a hanner ond roedd ei gyd-lawfeddyg yn credu mewn agoriad llawer mwy helaeth i gyflawni'r un driniaeth. Pan oeddwn yn ei gynorthwyo un tro ac yn chwys domen yn ceisio mopio'r gwaed, cafodd gerydd anuniongyrchol gan gymeriad adnabyddus yn ystafell lawdriniaeth yr Inffyrmari Frenhinol. Credaf fod y byd a'r betws â pharchedig ofn tuag at Sister Benn. Daeth i sefyll at ochr y llawfeddyg a chan edrych arnaf dros y bwrdd meddai, 'Go easy on those swabs, lad.'

Roedd myfyrwyr meddygol yn cael eu rhyddhau o ymuno â'r lluoedd arfog i orffen eu cwrs. Achosodd hyn anesmwythder pan fyddem yn clywed bod cyfeillion dyddiau ysgol wedi'u lladd neu eu clwyfo yn y gyflafan. Yn ychwanegol at waith y coleg roeddem ar ddyletswydd yn y brifysgol i wylio rhag tân oherwydd y bomio. Un diwrnod yr wythnos byddem yn ymarfer i'n cymhwyso ar gyfer y fyddin. Ar ddiwedd y rhyfel yn Ewrop anfonwyd nifer o garcharorion rhyfel a ryddhawyd i Lerpwl ar drên o borthladd Portsmouth, ac roedd eu cyflwr yn druenus. Ein dyletswydd ni, fyfyrwyr, oedd eu cario ar stretsieri i'r ambiwlansys.

Bûm yn feddyg tŷ ac yna'n swyddog damweiniau yn Ysbyty Stanley, Lerpwl. Yno, yn 1948 cyfarfûm â Sybil, fy narpar wraig, lle roedd yn chwaer ar y ward feddygol, ac yn yr adran ddamweiniau cyn hynny. Safai'r ysbyty ar Heol Scotland, heb fod ymhell o'r dociau. Roedd yr adran ddamweiniau'n brysur ac fe geid yno ddigwyddiadau lliwgar ar adegau. Un nos Sadwrn daeth gŵr simsan ar ei draed dan ddylanwad yr hen heidden i mewn gyda llosg helaeth ar ei ysgwydd a chlwyf ar ei ben yn gwaedu. Y stori oedd iddo fynd adref ac roedd ei wraig yn ffrio selsig ar y stof. Y canlyniad oedd iddi ei daro ar ei ben â'r badell a'r braster poeth yn mwydo drwy ei gôt. Un ffordd o setlo'r cweryl!

Roedd ffatri sigaréts W D a H O Wills yn ymyl yr ysbyty, ac un diwrnod daeth un o'r gweithwyr i mewn wedi datgymalu ei fawd. Gorchwyl bach oedd ei ailosod a gofynnais iddo ddychwelyd mewn ychydig ddyddiau. Daeth â 200 o sigaréts yn anrheg i mi. Ni holais o ble y daethant. Roedd temtasiwn i gadw llygad arno'n gyson am dri mis! Yna dychwelais i Gymru yn feddyg teulu yn Rhiwabon am gyfnod byr.

Uwchaled wych

UWCHALED

Uwchaled wych, hael dy hedd,
I Afallon efeillwedd:
Gweiriau ar lawr, gorau'r wlad,
Yn gnwd ir o gain doriad.
A phreiddiau hyd y ffriddoedd,
Afrifed yn ged ar goedd.

Wlad dda'i rhin, ei gwerin goeth
A gafwyd iddi'n gyfoeth.
Yn dŵr i'r gwan, dewrwyr gynt
Dros ryddid roes o'r eiddynt.

Nyth hen yr heniaith annwyl,
Gwlad telyn, englyn a hwyl,
Hon a ymlŷn â mawl Iôr,
Wrth ddiwylliant, wrth allor.

Haf enaid, nef ei hunan,
Ddôi o fyw yn hedd y fan.

Huw Roberts, Llanrug

Bu'r Parch Huw Roberts, awdur y cywydd, yn weinidog gyda ni yn Llanfihangel Glyn Myfyr am gyfnod. Yn wir, bu Uwchaled yn ffodus i gael gwasanaeth llawer o weinidogion galluog, yn eu plith y Parchedigion J T Roberts, R O G Williams, Harri Parri, Glyn Hughes, Elfyn Richards, T Alun Williams, Meurig Dodd, Geraint Roberts a William Davies.

Deuthum i adnabod Uwchaled am y tro cyntaf ym mis Ionawr 1950. Ar y pryd roeddwn yn cynorthwyo mewn practis llewyrchus tad a mab yn Rhiwabon. Euthum yno wedi gorffen fy swydd fel meddyg tŷ yn Lerpwl. Un diwrnod derbyniais alwad ffôn yn fy hysbysu bod Dr Ifor Hughes Davies, Cerrigydrudion, yn ystyried cymryd meddyg ifanc ato i'w hyfforddi mewn meddygaeth teulu am flwyddyn dan gynllun y Weinyddiaeth Iechyd. Rhoddwyd cymorthdaliadau i feddygon penodol i weithredu'r cynllun.

Cysylltais â Dr Davies a threfnwyd i mi ymweld â Cherrigydrudion. A'r trên o Riwabon wedi cyrraedd stesion Corwen, roedd yn fy nisgwyl ŵr oedd i chwarae rhan amlwg yn fy mywyd, sef Stanley Hughes. Wedi iddo adael yr ysgol, gweithiodd Stanley ar hyd ei oes ym Mronafallen, cartref Dr Davies, ac eithrio cyfnod yn ystod yr Ail Ryfel Byd pan fu'n gwasanaethu yn adran feddygol yr awyrlu. Aeth Stanley â mi i Fronafallen yng nghar y meddyg. Wrth groesi rhiniog Bronafallen teimlais ar unwaith gynhesrwydd croeso'r meddyg a'i annwyl briod, Mrs Claudia Elizabeth Davies. Daethom i delerau a'r gorchwyl cyntaf oedd dysgu gyrru car, a Stanley yn fy hyfforddi. Credaf y bu bron iddo gael trawiad ar y galon aml i dro a minnau'n gyrru'n wyllt ar y ffyrdd culion.

Ucheldir amaethyddol yw Uwchaled, ac nid yw'n addas i dyfu llawer o gnydau megis ŷd a gwenith. Haidd oedd y prif gynnyrch y pryd hwnnw. Mae hanes am un gwybodusyn o'r tu draw i Glawdd Offa yn dod i fyw i Ysbyty Ifan ac yn awyddus i hyfforddi'r brodorion sut i dyfu gwenith ac amaethu'n gyffredinol. Byr fu ei arhosiad ac aeth yr hwch drwy'r siop mewn dim o dro. Dibynnai'r economi ar fagu da byw yn wartheg a defaid mynydd i raddau helaeth. Roedd pob fferm yn cynhyrchu llaeth yn ystod fy mlynyddoedd cynnar yn yr ardal. Wrth deithio ar y ffyrdd culion roedd yn drawiadoi pa mor dda oedd cyflwr yr arwyneb, a'r rheswm am hynny oedd fod y lorri laeth o hufenfa Corwen yn teithio arnynt yn ddyddiol. Roedd stand llaeth ar ochr y ffordd ger pob un o'r ffermydd ac roedd poen yn y meingefn yn gŵyn gyffredin wrth i'r amaethwr godi'r gansen laeth arno oddi ar ei dractor. Cyn dyfodiad y lorri laeth enw'r amaethwyr ar ddolur cefn oedd clwy'r bladur, cyfeiriad at siglo'r cefn yn ôl ac ymlaen wrth ladd gwair. Bellach, ychydig o'r ffermydd sydd yn godro. Cerrigellgwm Isa, Ysbyty Ifan, oedd un o'r rhai olaf i gorddi a choffa da am y botel laeth enwyn a dderbyniais yn anrheg. Mae ei flasu yn fy nghof hyd heddiw. Nid yw tirwedd Uwchaled i'w gymharu â meysydd bras Sir Gaer o ran cyfoeth, ond er bod rhan ohono'n llwm mae prydferthwch y bryniau'n iawndal fel y canodd bardd lleol:

O gyrchu i Graigerchen, caf weled
   cu foelydd di-niwlen;
   tremio ar lawer trumen
   a chael bod yn uchel ben.

Mae trigolion y tir uchel yn rhagori fel cymeriadau ac amaethwyr. Dichon fod ymladd yn erbyn her elfennau'n hybu hunanddibyniaeth ac amynedd.

Ymestynnai'r practis dros 1,200 milltir sgwâr gyda ffordd Thomas Telford o Lundain i Gaergybi yn ymlwybro drwyddo fel neidr lydan. Cynhwysai'r deunaw milltir o'r Ddwyryd i Badog ddau chwarter milltir o'r troadau mwyaf peryglus ar holl hyd y ffordd o Lundain i Gaergybi, sef Glyn y Diffwys, ger Tŷ-nant, a Phadog, y tu draw i Bentrefoelas. Yn ei ddisgrifiad o'r Glyn ar ddechrau'r ugeinfed ganrif ysgrifennodd Asiedydd o Walia yn y *Cymru Coch* am gulni'r ffordd a'r corneli peryglus. Bu i nifer o goetsys gwympo naw deg troedfedd i'w tranc oddi ar y ffordd fwdlyd ddeuddeg troedfedd o led. Roedd yn nalgylch y practis naw o bentrefi, sef Nebo, Pentrefoelas, Ysbyty Ifan, Cerrigydrudion, Llanfihangel Glyn Myfyr, Llangwm, Dinmael, Betws Gwerful Goch a Melin-y-wig.

Roedd dau ohonom yn gweithio yn y practis, sef Dr Ifor Davies a minnau. Roeddem yn paratoi meddyginiaethau i'n cleifion yn y feddygfa, ac eithrio mewn cylch o filltir o amgylch pentref Cerrigydrudion, lle roedd fferyllydd yn gyfrifol am ddarparu'r moddion. Cynhelid pedair o feddygfeydd cangen o'r brif feddygfa – yn Ysbyty Ifan, Pentrefoelas, Llanfihangel Glyn Myfyr a Betws Gwerful Goch. Roedd dwy ohonynt, sef

Betws Gwerful Goch ac Ysbyty Ifan, naw milltir o Fronafallen. Cynhelid hwy mewn tai yn y pentrefi, a byddai'r cleifion yn aros yn y gegin a'r meddyg yn ymgynghori yn y parlwr. Cyflawnid mân lawdriniaethau yn y brif feddygfa neu'n achlysurol yn y cartref os oedd iechyd y claf yn wael. Diogelid y moddion mewn cypyrddau cadarn, gwaith seiri lleol, ym Metws Gwerful Goch ac Ysbyty Ifan fel y gellid cymysgu ffisigau yn y fan a'r lle. Mae hen bennill o'r nawfed ganrif yn cyfeirio at arfer y meddygon i gynnwys dŵr yn y moddion:

> Y pysigwr cas i'r cry
> Gŵr gwych i'r gwan ar methiant lu
> Ymhle bynnag bo ei dŷ
> Bydd dŵr yn cyrchu ato.
>
> (o *A Welsh Leech Book*, Timothy Lewis)

Gallai cleifion Betws ac Ysbyty dystio bod gwirionedd yn yr hen bennill oherwydd roeddynt wedi gweld faint o ddŵr oedd yn mynd i'r botel. Gwell hynny na ffisig gor-gryf. Yn fy nyddiau ysgol yn y Blaenau cofiaf glywed sôn fod Dr Joseph Morris wedi rhagnodi potel i glaf oedd yn dioddef dolur rhydd. Opiwm oedd un o'i gynhwysion ac yfodd yntau'r botel gyfan. Efallai ei fod yn dilyn yr egwyddor: os da ychydig, gwell mwy! Diwedd y stori oedd fod y meddyg wedi cadw'r truan ar ei draed i gerdded drwy'r nos i'w rwystro rhag cysgu.

Ym mhumdegau'r ugeinfed ganrif y botel ffisig oedd y ffefryn, er bod tabledi a phils yn cael eu defnyddio ond i raddau llai. Erbyn heddiw tabledi yw'r dewis ac anghyffredin yw cael moddion hylif. Roedd cynnwys y rhan fwyaf o'r moddion yn cael eu cofnodi mewn llyfr bychan i feddygon teulu, sef y *British National Formulary*. Gallai'r meddyg amrywio'r cynnwys yn ôl y gofyn. Byddai nifer o gwmnïau fferyllol cyfanwerthu yn darparu cymysgedd crynodedig a'u gwerthu mewn poteli 'Winchester' (dau litr). Yna byddai'r meddyg yn eu gwanychu, un owns i wyth â dŵr, i'w roi i'r claf. Cyn dyfodiad y mesurau newydd, y dogn arferol oedd llond llwy fwrdd neu lwy de dair gwaith y dydd. Clywais ddweud bod meddyg ym Mhenmachno ar ddechrau'r ugeinfed ganrif yn arfer rhoi'r moddion yng ngwaelod y poteli i gleifion y cwm. Yna byddai'n eu rhoi i'r postmon gyda'r gorchymyn, 'Llenwa'r rhain gyda dŵr y pistyll ar dy ffordd yno.' Yr oedd mesurau'r meddyg a'r fferyllydd yn bur wahanol i fesurau siopwr. Mesurau'r apothecari oeddynt – minim am ddiferyn – 60 ohonynt mewn dram ac wyth dram mewn owns. Mesurid powdrau mewn gronynnau, gyda chwe deg mewn dram.

Roeddem yn defnyddio basgedi gwiail, fel y rhai a ddefnyddid i gario menyn bach i'r farchnad, i ail-lenwi'r cypyrddau cyffuriau gyda phob ymweliad â'r canghennau. Ni fyddai'r fath drefniant yn gyfreithlon heddiw, ond rydym yn sôn am gyfnod pan ymddiriedai pobl yn ei gilydd. Anfonid moddion i Bentrefoelas ar y bws Crosville ac yn achos Llanfihangel âi Stanley Hughes â hwy yno.

Yn fy nyddiau cynnar yn y practis roeddem yn cynnal dwy ar bymtheg o sesiynau ymgynghori bob wythnos: tair ar ddydd Llun, pedair ar ddydd Mawrth, dwy ar ddydd Mercher, dwy ar ddydd Iau, pedair ar ddydd Gwener, a bore a nos Sadwrn. Nid oedd angen apwyntiad i weld y meddyg. Yn unol â ffasiwn yr oes, roedd y feddygfa'n rhan o gartref y meddyg. Ar y llaw chwith i ddrws ein meddygfa roedd cwpwrdd bychan hirsgwar yn y mur a drws bach pren yn ei orchuddio tu allan a thu mewn. Ynddo byddai moddion yn cael eu gadael fel y gellid eu ceisio pan oedd raid. Ni fyddai hynny'n gyfreithlon heddiw, ond rydym yn sôn am gyfnod pan nad oedd drysau'n cael eu cloi a phan fyddai goriadau'n cael eu gadael yn y car. Ambell dro byddai Glyn neu Roy, ein meibion, yn ymwthio drwyddo i ddod i'r tŷ a hyd y gwn ni fu i un o'r ddau gael eu caethiwo ynddo. Nid oedd gennym staff cynorthwyol am rai blynyddoedd ond yn y man daeth Stanley Hughes i ymgymryd â nifer o ddyletswyddau yn y feddygfa. Roedd gennym ddwy ystafell ym-gynghori ac un ystafell aros. Yn ogystal defnyddid lolfa yn y tŷ i roi triniaeth gwres is-goch ac ati. Ni fyddai unrhyw un yn dadlau bod cynnal meddygfa mewn tai yn y pentrefi'n ddelfrydol ond gellid archwilio'r rhan fwyaf o'r cleifion a delio â'r broblem yn y fan a'r lle heb lawer o drafferth. Pan fyddai angen archwiliad manylach gofynnid iddynt ddod i'r brif feddygfa. Ein gwragedd atebai'r ffôn a delio â mân ddamweiniau ac achosion brys pan fyddai'r meddygon allan yn ymweld. Roedd cymorth fy nghymar mewn achosion o'r fath yn amhrisiadwy. Gan ein bod yn treulio oriau lawer yn y car yn gyrru o le i le, roedd anhawster cysylltu â ni mewn argyfwng yn broblem. Ymhen rhai blynyddoedd cawsom ddatrysiad i'r broblem a chael radio/teleffon yn y car.

Uchafbwynt sesiynau'r canghennau o ran y meddyg oedd y te blasus a geid ar y terfyn! Coffa da am de'r Hand, Betws Gwerful Goch, lle cynhelid sesiynau ar nos Lun a nos Iau. Tua chwarter i bump byddai Mrs Herbert neu Miss Thomas yn galw fod te yn barod, ac yn ein disgwyl byddai pentwr o grempogau tenau yn nofio mewn menyn bach. Pan ddeuthum i'r ardal roeddwn yn fain ond buan y newidiodd hynny. Yn un o'r canghennau cawn sbigoglys ar dost bob wythnos; dichon fod y wraig garedig yn disgwyl y byddwn yn efelychu Popeye. Yn ddiweddarach bu Ruth Jones, gwraig cigydd Pentrefoelas, a Rhian Beattie, Penlan, yn ein bwydo'n hael! Er hynny, ceisiais gadw mewn cof yr adnodau o Eccliasticus yn yr Aprocyffa, 'Na fydd annigonol o ddim dantaith ac na ruthra i fwyd. O lawer o fwydydd y daw clefyd; a gormodedd a dry fel geri.' (Doethineb Iesu fab Sirach, pennod 37, adnodau 29, 30)

Roedd angen cerdded ar draws caeau i gyrraedd un neu ddau o anheddau'r ardal. Trigai boneddiges oedrannus yn un sydd bellach yn furddun a phan welai fi'n dod ar draws y cae byddai'r badell ffrio ar y tân gyda chig moch ac wy yn fy nisgwyl. Un tro roeddwn yn ymweld â fferm Cappele, ac yno ar yr Aga roedd dysglaid o'r pwdin reis prydferthaf a welais erioed a chroen brown arno. A dyma fi'n dweud yn hollol ddiniwed (efallai!), 'Mae hwn yn edrych yn hyfryd.' A dyma ddysglaid ohono yn fy llaw mewn munud. Dyna'r pwdin gorau i mi ei flasu erioed, ond gwaetha'r modd nid wyf yn credu bod Bet Williams wedi cael ei phwdin y diwrnod hwnnw.

Wedi derbyn fy nhrwydded yrru roedd angen prynu car. Roedd fy nghar cyntaf yn bymtheng mlwydd oed ac yn amlwg wedi treulio oes liwgar. Roedd yn ddirgelwch i mi pam y mynnai'r Morris 10, 1935 wyro tua'r chwith ar y ffordd ac roedd angen cydio'n gadarn yn yr olwyn lywio. Ymhen ychydig ddyddiau euthum ag ef at yr arbenigwr, Harry Edwards y garej, i'w archwilio. Ar ôl edrych arno am ychydig funudau, gwenodd yntau a dweud, 'Mae un teiar blaen yn fwy na'r llall!' Ym mis Mehefin 1950, a Sybil a minnau'n dychwelyd o ychydig ddyddiau o fis mêl, chwythodd y Morris ei gasged yng Nghlawddnewydd a dychwelsom i Gerrigydrudion mewn steil yn cael ein llusgo gan Harry. Roedd ganddo hiwmor tawel ac adroddodd ei gyfaill Alun Jones, Bwlch, wrthyf amdanynt yn mynd i Ynys Manaw i wylio rasys beiciau modur. Roeddynt yn sefyll ar riw serth pan ddaeth gŵr o'r Dwyrain Pell heibio ar ei feic modur a mynd yn syth ar ei ben drwy wrych. Sylw Harry oedd, 'Does dim rheswm fod y rheina'n cystadlu, does bosib eu bod yn gweld llawer drwy'r llygaid main 'na.'

Ymgartrefu

Pan ddeuthum i'r ardal gyntaf cefais gryn anhawster cael llety a bûm yn aros gyda Dr a Mrs Davies am ddeufis cyn i mi lwyddo i rentu ystafell ym mhentref Cerrig. Ar ôl priodi, llwyddodd Sybil a minnau i rentu bwthyn cyntefig a thŷ bach yn yr ardd, ond gyda golygfa hudolus, am ychydig wythnosau. Roedd stad newydd o dai Cyngor ar fin cael eu cwblhau yn Llanfihangel Glyn Myfyr, a buom yn ffodus o gael tenantiaeth un ohonynt. Nid oedd trydan yn yr ardal yn gyffredinol tan y chwedegau, ond roedd cwmni trydan preifat yn cyflenwi golau yn unig ym mhentrefi Cerrigydrudion a Llanfihangel. Roedd Bronafallen a nifer o'r ffermydd mwy yn defnyddio injan disel Lister i gynhyrchu trydan. Credaf fod olwyn ddŵr y felin wedi'i haddasu i gynhyrchu trydan i nifer o dai yn Ysbyty Ifan. Lampau paraffîn oedd yn goleuo'r mwyafrif o'r tai, a bu aml i ffrwgwd yn oriau'r hwyr yn ceisio ymdopi ag anghenion triniaeth. Un enghraifft oedd ceisio pwytho deintgig yng ngolau cannwyll oherwydd gwaedu di-baid ar ôl i ddeintydd dynnu nifer o ddannedd. Cofiaf yn dda dderbyn un pâr o draed bach i'r byd yng ngolau fflachlamp. Ar ôl tri mis yn y fro derbyniais fy mabi cyntaf i'r byd yn Ysbyty Ifan.

Wrth i fy mlwyddyn yn Uwchaled ddirwyn i ben roedd angen edrych am swydd arall, gyda thristwch, oherwydd roeddwn wrth fy modd yn gweini ar drigolion deallus, croesawus, ffyddlon, maddeugar a diwylliedig y fro. Trefnais i fynd i Benrhyndeudraeth at Dr Gwennie Williams a Dr O M Pritchard. Pan ddywedais wrth Dr Ifor ei ymateb oedd, 'Nid ydych am ymadael? Os arhoswch mi roddaf bartneriaeth i chi.' Felly aethom ati i wneud cais cynllunio i adeiladu tŷ. Oherwydd rheolau cynllunio caeth y cyfnod gwrthod-wyd ein cais cyntaf. Fodd bynnag, cytunodd perchen-nog fferm Clust-y-blaidd i werthu llain o dir ar waelod cae yn ochri'r ffordd dyrpeg i ni ac adeiladwyd Moelwyn. Parthed Clust-y-blaidd, yn gynnar yn yr ugeinfed ganrif trigai cymeriad ffraeth yno. Pen-derfynodd adeiladu cwt mochyn newydd, gyda dwy ffenestr a tho llechi arno, ac wedi'i gwblhau gwahodd-odd ei gyfaill T O 'Tomi' Jones, Aelwyd Brys, i roi ei farn arno. Ar ôl ei archwilio'n ofalus a'i ganmol gwelodd Tomi Jones un bai. Meddai, 'Nid oes lintel ar y ffenestri.' Ac ymatebodd ei gyfaill fel fflach, 'Nid yw moch Clust-y-blaidd yn hoffi *flower pots*.' Roedd T O Jones yn llenor, cerddor ac yn fardd. Darganfu helmed o'r Oes Efydd ar un o gaeau Cefn-brith yn 1924. Mae bellach yn un o drysorau'r Amgueddfa Genedlaethol ac yn Eisteddfod y Bala 2009 arddangoswyd copi ohoni. Mae gennyf drysor o dri llyfr a gefais ganddo, sef *Gweithiau Gethin*, *Drych Barddonol* gan Gwilym

Caledfryn a *Geirionydd: Cyfansoddiadau Barddonol, Cerddorol a Rhyddieithol*.

Priodwyd Sybil a minnau yn Heswall ar y 6ed o Fehefin 1950 ac ymhen blwyddyn roeddem yn edrych ymlaen at ddigwyddiad hapus, sef genedigaeth ein cyntaf-anedig. Ganwyd mab i ni ond trodd y llawenydd yn dristwch oherwydd iddo farw ychydig oriau ar ôl ei eni. Pan euthum i ddod â Sybil adref o'r ysbyty dywedodd yr obstetregydd, yr anfarwol R Owen Jones, Rhiwabon, wrthyf, 'Mae gennyf eisiau'r eneth yma yn ôl ymhen y flwyddyn yn feichiog.' Atebais innau, 'Gwnaf fy ngorau!' Yn fuan wedyn ganwyd John Glyn, ein mab hynaf, er mawr lawenydd i ni ac fe gafodd yntau bartner, Roy Edward, ymhen pymtheng mis; ac i gwblhau'r teulu daeth Ceridwen Muriel, cannwyll ein llygaid.

Roedd ein cartref newydd, Moelwyn, o fewn canllath i Fronafallen ac ymhen ychydig flynyddoedd cyfnewidiodd Dr Ifor a ni ein tai. Gyda'i phrofiad eang mewn adran ddamweiniau ysbyty bu Sybil yn gefn mawr i mi. Gallai ddelio â mân ddamweiniau a gwerthuso achosion brys.

Nid oedd trefniant penodol yn y practis ar gyfer merched beichiog a babanod, a byddai'n rhaid iddynt fynychu'r sesiynau ymgynghori arferol. Felly, yn 1953, sefydlais glinig cyn-esgor ac imiwneiddio ar fore dydd Mercher. Byddai Rhian Wynne Llwyd Jones, y fydwraig, a Margaret Rose Roberts, yr ymwelydd iechyd, yn ei fynychu ac yn cyfrannu sylwadau gwerthfawr. Felly roedd y tri ohonom yn gallu trafod a rhannu gofal. Mae gennyf y parch mwyaf at Rhian a

Margaret, ac yn ddiweddarach ymunodd Heulwen Evans, Jane Lewis, Lilian Jones a Hester Jones i roi gwasanaeth clodwiw i'r ardal. Bu Hester Munro (Jones) yn fydwraig am nifer o flynyddoedd a bûm yn bresennol mewn llawer o enedigaethau gyda hi. Roedd hi'n wreiddiol o Swydd Caint; dysgodd Gymraeg yn rhugl ac roedd ganddi ddiddordeb mewn anifeiliaid ac amaethu. Roedd nifer o famau a phlant yn cael anhawster dod i'r feddygfa, felly byddwn yn galw ar fy ffordd i un o'r canghennau i wneud archwiliad cynesgor ac imiwneiddio. Yn y dyddiau cynnar byddem yn brechu babanod i'w hamddiffyn rhag y frech wen pan oeddynt yn bedwar mis oed.

Wedi diflaniad y pla du o'r wlad yn yr ail ganrif ar bymtheg daeth y frech wen i gymryd ei le fel prif achos marwolaethau am bron i ddwy ganrif. Cafodd darganfyddiad chwyldroadol brechu gan Dr Edward Jenner groeso llugoer, os nad gelyniaethus, gan garfan sylweddol o'r meddygon, ond yn y man profwyd ei werth yn atal y clefyd. Yn y bedwaredd ganrif ar bymtheg ganrif pasiwyd deddf i wneud brechu babanod yn angen cyfreithiol. Yn ddiweddarach yn y ganrif addaswyd y ddeddf i ganiatáu ei wrthod ar sail cydwybod. Felly parhaodd yr arfer o 'roi cwpog' tan saithdegau'r ugeinfed ganrif.

Roedd difftheria hefyd yn achosi llawer o drychinebau ymysg plant. Er bod brechlyn i'w atal wedi'i ddatblygu yn 1921 ni chafodd lawer o ddefnydd am dros ddeng mlynedd. Erbyn y pedwardegau defnyddid brechlyn tetanws a difftheria, ac yn fuan daeth brechlyn triphlyg pan ychwanegwyd y pas i'r gymysgedd. Bûm yn defnyddio'r brechlyn triphlyg, sef difftheria, pas a thetanws, ond cefais un profiad trist gyda'r brechlyn hwnnw wedi i mi bigo geneth fach wyth mis oed. Ymhen ychydig ddyddiau datblygodd enceffalitis lled llym ac amharodd yn enbyd ar ei hymennydd a'i datblygiad. Mae'r fath gymhlethdod yn brin iawn ac mae rhai o'r awdurdodau ar y mater yn amheus a oedd unrhyw gysylltiad â'r elfen pas yn y brechlyn. Yn sicr roedd sgileffeithiau sylweddol megis tymheredd uchel yn gyffredin a darganfuwyd mai protein cell y bacteria oedd yn gyfrifol. Addaswyd y brechlyn drwy ddefnyddio amlen y gell yn unig. Datrysodd hynny'r broblem. Fodd bynnag, parodd y profiad ofid mawr i mi, a phenderfynais roi dewis i'r rhieni i beidio â chynnwys yr elfen pas. Yn ddiweddarach bu imiwneiddio yn erbyn polio, parlys y plant, yn hynod o effeithiol ac nid yw'r clefyd hwnnw'n bod ym Mhrydain bellach.

Achosai marwolaeth plentyn dristwch arbennig, ac yn anffodus collais nifer o fabanod. Cawsom epidemig ffyrnig o'r pas yn 1952 a bu farw dau faban, y naill o gymhlethdod niwmonia a'r llall o waedlif ar yr ymennydd oherwydd gerwinder y peswch. Dro arall, cerddodd ffermwr bedair milltir drwy eira mawr i'r feddygfa i ddangos clwt babi wedi'i staenio â gwaed. Aethom yn y car ar hyd y briffordd a cherdded dwy filltir ar dir llethrog. Yn y pram roedd baban deng mis oed mewn sioc ddifrifol ac yn annaturiol o dawel. Roedd angen ei anfon i'r ysbyty ar unwaith. Roedd modd gwahanu rhan uchaf y pram oddi wrth yr olwynion a dyna wnaed. Cariodd y tad a minnau'r baban yn y pram drwy'r eira i gyfarfod yr ambiwlans ar y briffordd i'w anfon i Ysbyty Maelor. Bu'r baban farw dan y gyllell i drin cwlwm *intususseption* ar y coluddyn. Yn y misoedd canlynol byddai'r fam yn beichio wylo pan gyfarfyddem, digwyddiad oedd yn peri cryn loes i mi. Nid oedd gwasanaeth paediatrig ar gael am rai blynyddoedd yng ngogledd Cymru er bod un arbenigwr yn Ysbyty Môn ac Arfon â diddordeb arbennig yn y maes.

Roedd yr ardal yn frith o afonydd, ac un o'r diwrnodau tristaf yn fy mywyd oedd derbyn galwad i fynd i festri Capel Padog ar brynhawn Sadwrn gwresog yn yr haf i baratoi adroddiad i'r crwner. Roeddwn i archwilio Olwen ac Elgan, brawd a chwaer yn eu harddegau cynnar oedd wedi boddi wrth ymdrochi yn afon Conwy islaw Pont Padog. Euthum ymlaen i'w cartref, Tai Duon. Roedd y gweinidog, y Parch John Davies Hughes, yno eisoes ac yn eistedd ar yr aelwyd gyda'r rhieni. Eisteddais gyferbyn ag ef, y ddau ohonom yn fud. Ymhen y rhawg, wrth ddychwelyd yn y car, cystwyais fy hun am nad oeddwn wedi dweud geiriau o gysur. Pan oeddwn yn feddyg ifanc deuent yn rhwydd. Ymhen rhai blynyddoedd darllenais englyn Dic Jones:

Am dy alar galaraf, – oherwydd
Dy hiraeth hiraethaf,
Yn fy enaid griddfanaf
Drosot ti, a chyd-dristâf.

Nid oedd angen geiriau ac effeithiodd y drasiedi ar yr ardal drwodd a thraw. Roedd rhyw ddistawrwydd anarferol yn y pentrefi. Crynhodd Huw Selwyn deimlad y fro mewn cyfres o englynion:

Awelon mwyn y dolydd – a wylant
A niwloedd y mynydd,
Daeth dagrau o gangau'r gwŷdd
I ddiniwed fedd newydd.

Daeth gwae ar fin cynhaeaf – i'r rhai bach
A'r byd ar ei decaf,
Nid oedd ing mewn dydd o haf
Na phoen dan haul Gorffennaf.

Ar aelwyd gu Tai Duon – mae wylo
Am Olwen fwyn dirion
A hiraeth oriau hirion
Y nos sydd am Elgan Siôn.

Hwnt i'r beddrod a'r blodau – ar y cof
Trwy y cur a'r dagrau
Ddydd 'rôl dydd fe erys dau
A'u swyn fel hardd rosynnau.

Bu nifer o bobl ifainc yn eu harddegau cynnar farw o lewcemia a'r hyn oedd yn drawiadol oedd eu gwroldeb yn derbyn yr afiechyd heb rwgnach na chŵyn. Roeddynt yn llawen yn ceisio gwneud eu gorau o'r amgylchiadau. Cefais y fraint hefyd o adnabod nifer o blant ag anabledd Syndrom Down. Cafodd pob un ohonynt fwynhau bywyd nes iddynt gyrraedd eu tridegau neu bedwardegau ac yna goddiweddai'r clefyd y galon. Roeddynt yn blant hapus a galluog, yn arbennig gyda gwaith llaw.

Roedd pysgota yn hobi poblogaidd yn yr ardal ac roedd gennyf gydymdeimlad â'r potsiars, efallai oherwydd nad oedd yn anghyffredin i mi agor drws cefn y tŷ a darganfod eog wedi'i lapio mewn papur newydd. Câi pysgotwyr Uwchaled, fel pob ardal arall, anffawd o dro i dro ac ambell waith byddent yn ymddangos yn y feddygfa â bys yn yr awyr gyda bach yn disgleirio ynddo!

Erlynwyd rhai o brif drigolion Dinbych am botsio – yn cynnwys meddyg, deintydd ac un o gynghorwyr y dref. Fodd bynnag, roedd potsiars Uwchaled yn fwy cyfrwys. Un nos Sadwrn clywsom gnoc berfedd nos ar ddrws y feddygfa, un o botsiars Pentrellyncymer wedi llithro yn yr afon a syrthio ar dryfer, a hwnnw wedi treiddio drwy gledr ei law ac yn bur ansymudol. Fiw ei anfon i'r ysbyty, felly'r unig opsiwn oedd boddi'r fan ag anesthetig lleol a defnyddio nerth braich. Trwy ryw ffawd ni wnaethpwyd unrhyw niwed i'r gewynnau ac ati.

Dro arall, ar brynhawn Sul yn yr hydref, ymddangosodd wrth ddrws y feddygfa ddau ddyn o'r Iseldiroedd a'u Saesneg yn fratiog. Roedd un â bach tri phen mawr wedi treiddio drwy gledr ei law. Gofynnais lle digwyddodd hyn, atebodd yntau, 'on the River Shannon'. Meddyliais fod rhywbeth rhyfedd iawn yn y stori. Mynnodd ddangos cist y car yn llawn o lwynogod dŵr (carpiaid), dwy a thair troedfedd o hyd wedi'u halltu. Y stori oedd fod y ddau wedi treulio penwythnos yn yr Ynys Werdd yn pysgota ar afon Shannon ac fel yr oeddynt yn pacio i ddal y fferi o Ddulyn i Gaergybi digwyddodd y ddamwain. Gan nad oedd yn boenus penderfynasant deithio adref â'r bach yn y llaw. Teithiwyd i Gaergybi a thrwy Fangor heb drafferth ond roedd y llaw yn boenus erbyn iddynt gyrraedd Betws-y-coed. Cyfeiriwyd hwy i alw ym Mronafallen. Wedi rhewi'r llaw, gorchwyl hawdd oedd tynnu'r bach ymaith. Rhoddais ychydig o dabledi gwrthfiotig iddo ac aethant ar eu taith i ddal y fferi o Dover. Derbyniais lythyr caredig yn fy ngwadd i ymweld â hwy yn Amsterdam lle roeddynt yn cadw busnes offer pysgota.

Yn ychwanegol at y clefydau oedd yn ymosod ar y boblogaeth yn gyffredinol roedd cymunedau amaeth-yddol yn dioddef rhai clefydau ychwanegol. Un llwynog o glefyd oedd brwselosis, y dwymyn donnog, a ledaenid mewn llefrith. Nid oedd iddo batrwm cyson ac yn aml byddai'n camarwain yr arbenigwyr. Gwelais un achos fel llid llym yng nghymal y pen-glin. Difodwyd y clefyd hwn o'r fuches drwy ddefnyddio'r un mesurau yn union ag a ddefnyddiwyd i ddileu'r diciâu. Gwaetha'r modd, mynnai rhai pobl gadw geifr ac yfed eu llaeth ac roedd ambell achos o'r dwymyn donnog yn parhau i ymddangos.

Un clefyd cymharol gyffredin oedd orff, a achosid gan un o deulu'r firysau pocs. Ymddangosai briwiau ar gegau ŵyn, yn arbennig ŵyn llywaeth. Wrth eu bwydo â llaw trosglwyddid y firws i amrywiol fannau ar y corff dynol: y llaw a'r ddau ben, sef talcen a phen-ôl. Amharai'r clefyd hwn ar eifr hefyd.

Ym mhumdegau'r ugeinfed ganrif achosodd clefyd a welwyd gyntaf yn y ddeunawfed ganrif, sef *farmer's lung,* gryn waeledd ymysg amaethwyr yr ardal. Câi ei achosi drwy iddynt fewnanadlu ffwng mewn llwch o wair wedi llwydo. Roedd cynaeafu cyn i'r cnwd sychu'n gyfan gwbl yn rhoi amodau delfrydol i'r ffwng dyfu yng nghynhesrwydd y gwair. Achosai'r llwydni dwymyn, peswch, diffyg anadl a dulasedd y croen. Yn arferol byddai'n gwella mewn amser cymharol fyr ond gallai achosi niwed difrifol i'r ysgyfaint. Gadawai greithiau yn y meinwe a'r rheiny'n atal ocsigen rhag cyrraedd y gwaed. Gwraig i dyddynnwr oedd yr achos cyntaf o'r clefyd i ddod i'n sylw. Achosodd benbleth i'r arbenigwr a minnau am gryn amser. Arferwn geisio perswadio ffermwyr i wisgo mwgwd gyda hidlydd trwchus, megis y Dustfo 66 a wisgai'r glowyr. Byddwn yn dangos un o'r fath oedd wedi'i wisgo am ddau ddiwrnod wrth ddyrnu ac roedd yr hidlydd yn ddu o lwch. Yn ddoeth, newidiodd llawer o'r ffermwyr i wneud silwair ac aeth y clefyd yn fwy prin.

Aflwydd arall cyffredin oedd y dderwinen ac roedd un math o ffwng yn achosi ffafws oedd yn peri briw cramennog ar groen y pen. Yn ffyrnig ac anodd ei drin, roedd yn llawer prinnach na'r dderwinen gyffredin. Rhoddid powltis bara arno i'w lanhau ac yna ei serio â nitrad arian.

Gyda chynnydd yn y defnydd o wrteithiau synthetig daeth problem newydd i'n sylw. Pan fyddai'r amaethwr wedi chwalu ffosfforws a hithau'n dywydd poeth gallai'r llwch dreiddio'r croen yn y chwys a'i wenwyno. Deuai'r claf i'r feddygfa'n cwyno o wendid cyffredinol a diffyg archwaeth at fwyd. Yn yr un modd roedd chwynladdwyr megis organo-cloridau yn gallu achosi ffitiau, parlys ac ati. Maent bellach wedi'u gwahardd.

Yn ystod 38 o flynyddoedd fel meddyg gwlad bûm yn dyst i ddau ymosodiad o glwyf y traed a genau a gweld llafur oes yn cael ei losgi a'r fath dristwch yn distewi'r fro. Yn gyffredinol, ychydig o iselder ysbryd oedd yn yr ardal. Ar y cyfan byrlymai hiwmor iach.

Delio â damweiniau, a'r foneddiges ddiflwmar

Mae pob meddyg teulu yn gyfarwydd â thrin damweiniau a mân glwyfau ond roedd gwahaniaeth dybryd rhwng anghenion practis cefn gwlad a phractis trefi a dinasoedd. Oherwydd y pellter o'r ysbyty yn Wrecsam roedd cario cleifion ar frys yno yn broblem. Felly, chwaraeai cymorth cyntaf ran bwysig yn y gwaith o sicrhau bod claf yn cyrraedd cymorth arbenigol mewn cyflwr boddhaol. Ni ellir gwerthuso dyled y gymuned i'r cymdeithasau gwirfoddol, sef Ambiwlans Sant Ioan, y Groes Goch a Chymdeithas Sant Andrew yn yr Alban. Pan ddeuthum i'r ardal sylweddolais yn fuan fod damweiniau niferus yn digwydd ar y ffermydd ac yn arbennig ar ffordd yr A5 o Lundain i Gaergybi. Felly darparwyd gwasanaeth ambiwlans gwirfoddol a pedair awr ar hugain y dydd, saith diwrnod yr wythnos am bron i chwarter canrif.

Dair blynedd cyn i mi ddod i'r ardal pwrcaswyd ambiwlans o bencadlys Sant Ioan yng Nghaerdydd ag arian a gasglwyd yn y gymuned. Roedd yr ambiwlans Austin J ail-law ymhell o fod yn ddelfrydol ond serch hynny'n ateb yr angen ar y pryd. Ymhen byr amser aeth yn bur fregus ac ar un achlysur roedd Stanley yn dychwelyd ar ôl mynd â gwraig ar fin esgor i Lanelwy. Wrth fynd dros Hiraethog gwelodd olwyn yn rhedeg wrth ochr yr ambiwlans. Rydych yn berffaith gywir, roedd yr olwyn flaen wedi dod yn rhydd! Roedd y gyrrwr yn brofiadol a llwyddodd i arafu a glanio'r ambiwlans ar ei echel heb lawer o niwed iddo. Dro arall aeth Idwal Hughes a minnau â gŵr oedrannus oedd yn dioddef o waedlif trwm i Ysbyty Maelor, Wrecsam, ar frys. Ar ôl cyrraedd yr ysbyty cydiodd Idwal yn y brêc llaw a daeth hwnnw'n rhydd yn ei law.

Yn 1952 gofynnodd Dr Ifor i mi gymryd cyfrifoldeb dros yr adran ambiwlans. Byddem yn cynnal ein dosbarth cymorth cyntaf mewn ystafell fechan yng ngarej yr ambiwlans ar ôl te ar ddydd Sul. Llechen las oedd ar lawr yr ystafell a stof baraffîn oedd yn ei thwymo. Coffa da am un Sul a minnau'n ilawn hwyliau'n trafod gwaedlif. Clywais chwyrnu o gefn y dosbarth a meddyliais, does bosib 'mod i mor ddiflas â hynny. Un o'r bechgyn oedd wedi llewygu ar ôl mewnanadlu tarth paraffîn! Aelodau'r adran oedd Cecil Owen, Stanley Hughes, Idwal Hughes, Dafydd Jones, Jenkin Jones ac Oliver Roberts. Roeddent yn fedrus a brwdfrydig i ddarparu'r gwasanaeth gorau i'r gymuned. Yn fuan meistrolwyd gosod sblint Thomas i wneud torasgwrn y ffemwr yn ansymudol. Bu defnyddio'r sblint hwn a ddyfeisiwyd gan Hugh Owen Thomas, un o hil meddygon esgyrn Môn, yn gyfrifol am leihad o 90% mewn marwolaethau o'r anaf ymysg milwyr yn y Rhyfel Byd Cyntaf. Yn fuan cafwyd cyfle i'w ddefnyddio yn dilyn damwain beic modur ger yr hen fwthyn wrth ymyl y pentref. Derbyniodd yr hogiau ganmoliaeth gan un o arbenigwyr Ysbyty Gobowen am eu gwaith.

Yn nechrau'r chwedegau daeth newid ar fyd ac roedd dyfodol y gwasanaeth yn ansicr oherwydd newid yn amgylchiadau rhai o'r bechgyn. Daeth nifer o gyfeillion o Bentrefoelas i'r bwlch i barhau â'r gwaith. John Hughes, Broncadnant, oedd yr arolygydd ac Eurwyn Beattie, Penlan, y swyddog. Yr aelodau oedd Idris Thomas, John Hughes, Nant, Gamwy Edwards, Gareth Jones, Ernest Green a Colin Parkinson. Roedd dwy wraig arbennig, sef Rita Davies a Ruth Jones, gwraig y cigydd, yn gyson yn barod i ymateb i argyfyngau. Rhoddodd y criw hwn wasanaeth clodwiw i ardal Uwchaled am ddeng mlynedd hyd nes y daeth y gwasanaeth ambiwlans statudol i gymryd y baich.

Cefais ddamwain un tro wrth dorri glaswellt ym Mronafallen a minnau ar frys i fynd i Eisteddfod Llangwm. Aeth brigyn i dagu'r peiriant torri gwair ac yn annoeth ceisiais ei symud ymaith heb ddiffodd yr injan. Yr unig beth a symudwyd ymaith oedd cymal uchaf fy mys canol ac aeth Eurwyn a Rita Davies â mi i Ysbyty Rhyl. Ymhen rhai wythnosau derbyniais benillion a chartwnau oddi wrth Rita, un ohonynt yn cynnwys carreg fedd ac arni, 'Dr Davies's finger RIP'. Gwaeth na hynny, roedd fy ngwraig wedi llosgi'r darn bys gyda'r ysbwriel! Cefais f'amlosgi cyn f'amser!

Cawsom lawer o hwyl drwy gystadlu yng

nghynghrair Cymorth Cyntaf gorllewin Dinbych yn erbyn timau o Fae Colwyn, Rhuthun, Dinbych, Pentrefoelas a Cherrigydrudion. Byddai damwain yn cael ei llwyfannu i'r timau ei thrin. Un tro, gofynnodd y beirniad, a oedd yn ddi-Gymraeg, gwestiwn i un o aelodau tîm Cerrigydrudion. Ni wyddai'r ateb a dyma Idwal, capten y tîm, yn gofyn, 'Excuse me, sir, he does not understand English very well. Can I translate the question?' 'Yes,' meddai yntau, ac fel fflach dywedodd Idwal wrth ei gyfaill, 'Dywed peth a'r peth' gan ddweud yr ateb wrtho. Rhai wythnosau'n ddiwedd-arach, pan roddais wybod i'r beirniad beth oedd wedi digwydd, roedd wrth ei fodd.

Yn weddol hwyr un noson cefais alwad at wraig oedrannus ym Mhentrefoelas. Roedd wedi syrthio ar y pafin ar ei ffordd adref o'r Clwb Pobl Hŷn ac wedi torri padell ei phen-glin. Y driniaeth cymorth cyntaf oedd gosod sblint o'r pen-ôl i'r sawdl a'i rwymo â thri rhwymyn: un o amgylch y sblint a'r forddwyd, un ffigur 8 am gymal y pen-glin a'r trydydd yn ffigur 8 o amgylch y ffêr, a gorffwys y droed ar gadair. Tra oeddem yn disgwyl i'r ambiwlans gyrraedd i'w chario i'r ysbyty dywedodd hithau, 'Wel wir, doctor bach, mae arnaf eisiau mynd i'r tŷ bach.' Gwaetha'r modd roedd yn gwisgo blwmars ac roeddwn wedi rhwymo un goes wrth y sblint. Gallwch ddychmygu'r broblem dechnegol ddyrys. Felly gofynnais i'w gŵr geisio siswrn a bwced. Edrychai'r claf yn bur bryderus arnaf yn torri'r blwmars ymaith ond ceisiais ei chysuro gan addo prynu pâr newydd yn anrheg Nadolig iddi. Ni wnes hynny oherwydd ni allwn gofio beth oedd eu lliw.

Yna, a ninnau'n ei chynnal, tynnwyd y gadair ymaith a gwthio'r fwced yn ei lle. Bu canlyniad boddhaol, ond hwn oedd yr unig dro i mi anfon boneddiges yn ddiflwmars i'r ysbyty.

Yn ddiweddarach, roeddwn yn rhoi sgwrs ar ddamweiniau ac achosion brys i gyd-eisteddiad o'r Gymdeithas Wyddonol a'r Gymdeithas Feddygol yn Wrecsam. Wedi disgrifio'r ddamwain a'r broblem a gododd, daliais flwmars i bawb eu gweld fel cymhorthyn gweledol, oedd mor boblogaidd bryd hynny. Gallaf sicrhau'r darllenydd nad oeddent wedi'u dwyn oddi ar lein ddillad yn unman. Mewn gwirionedd, roeddwn wedi'u prynu ar gyfer yr achlysur, er i mi deimlo'n swil yn mynd i siop ddillad merched. Gwelir y fath olygfeydd rhyfedd ynddynt! O ran hynny, roedd y blwmars yn eithaf tebyg i'r trowseri pantalŵns a wisgai William Shakespeare a Syr Francis Drake yn Oes y Tuduriaid. Cefais wybod gan un o'r gwyddonwyr fod aelod o'i gymdeithas oedd yn nodedig am gadw wyneb sych wedi gwenu am y tro cyntaf y noson honno. Ni wyddai neb yn y gynulleidfa darddiad y term blwmars. Roeddynt yn synnu mai Amelia Bloomer, boneddiges o America, a anfarwolwyd drwy i'w henw oroesi wedi iddi argymell merched y byd i'w gwisgo!

Cyn ffarwelio â maes y blwmars, daw i gof hanes a glywais gan un o'm hen gyfeillion. Roedd ar un stad dri thŷ yn rhannu un tŷ bach ac roedd y sêt wedi torri. Adroddai saer y stad ei fod wedi cael gorchymyn gan yr asiant i wneud un newydd. Ac yntau'n edrych ar y pren daeth gwraig y tŷ canol allan ar frys a gofyn,

'Beth ydych yn ei wneud, Pitar Jones?' Atebodd yntau, 'Mynd i wneud sêt newydd i'r tŷ bach, Mrs Puw.' 'O ia,' meddai hithau. Ychwanegodd yntau, 'A meddwl tybed a fyddai un ohonoch chi ledis yn dod yma, yn codi ei sgert a thynnu ei blwmars i lawr ac eistedd, i mi gael mesur?'

Gan fod nifer o lanciau yn eu harddegau yn Cerrig penderfynwyd sefydlu adran cadlanciau Sant Ioan yng nghyswllt Cymorth Cyntaf, ac un o'r uchaf-bwyntiau oedd mynd â hwy i wersylla yn yr haf i'r Creigiau Duon ger Porthmadog. Roedd chwech ohonom yn cadw llygad ar y criw afieithus, sef Cecil Owen, Stanley Hughes, Idwal Hughes, Oliver Roberts, John Jones a minnau. Yn ffodus, roedd gennym gogydd ardderchog yn Oliver Roberts. Bellach, mae'r bechgyn yn wŷr canol oed ond parhânt i sôn am yr hwyl! Ymhen y rhawg daeth penillion i law:

> Daeth criw o fro Uwchaled
> I gysgod y Graig Ddu
> I aros am ryw wythnos
> Dan ofal dynion cry'.

> Rhoi pleser oedd y bwriad
> I'r bois am weithio'n dda
> Trwy basio yr arholiad
> 'First Aid' ar ddechrau'r ha'.

> A dwsin llon, direidus,
> Yn llawn o nwyf a hoen
> A chwech o ddynion bodlon
> A blew yn cuddio'u croen.

Daeth Cecil yno'n gynta',
I farcio'r *site* bid siŵr,
Ond treuliodd y rhan fwyaf
O'i amser yn y dŵr.

Fe'i gwelir ar ei liniau
Fel eliffant o Kent
Yn chwythu wrth ymdrechu
I fynd i mewn i'w dent.

Mae Jones Hyfrydle'n gampwr
Am drefnu'r celfi i gyd.
Ar Calor Gas a'r *boilers*
Yn bennaf mae ei fryd.

A chofiodd am y cwbwl –
Carthenni, brics a choed,
Ond pan ar fynd i gysgu
Mae'n sugno bawd ei droed.

Ond Oli gafodd freuddwyd
Am domen o *baked beans*
A'r sos yn llifo'n seimllyd
Yn goch ar hyd ei *jeans*.

Roedd sosej wrth y filltir
Ac uwd a margarîn
Ac yntau yn y canol
Yn eistedd ar ei din.

Mae Stan fel ebol ifanc
Yn llawn fwynhau ei hun
Ond pan yn golchi llestri
Yn gythril o ddi-lun.

A chysgwr digon swnllyd,
Dan chwyrnu fel hen gi,
A'i ben o dan ei gesail
Fel chwarter wedi tri.

Mae Idwal yntau'n greadur,
Yn un o deulu'r ffydd,
A stoc o bils cascara
I gadw'r corff yn rhydd.

Ond rowlio wnaeth un noson
Dros Oli heb ddim hawl
A hwnnw'n gweiddi'n uchel,
'Mi lleddi fi, y diawl.'

Y capten ar y cwbwl
Yw'r doctor, druan bach,
Y fo sydd i ofalu
Fod pawb yn cadw'n iach.

Ond hwnnw fel y gweddill
Yn enbyd o ddi-lun,
Yn lle iacháu yr hogiau
Yn mynd yn sâl ei hun.

Yn siŵr bydd hir y cofio
Am hwyl yr wythnos hon
A disgwyl dyfod eto
I gampio wrth y don.

Mae i Urdd Sant Ioan arwyddocâd arbennig i ni yn
Uwchaled oherwydd yn Ysbyty Ifan y lleolwyd ei
phencadlys yng ngogledd Cymru yn y ddeuddegfed

ganrif. Wrth deithio o'r feddygfa yn y pentref synnais nad oedd unrhyw gofnod yno. Drwy ymdrech y Cynghorydd Robert Arwel Evans, Gwernhywel Bach, a minnau gosodwyd plac llechen gan Glwb Hospitalwyr Cymru ar fur y fynedfa i'r fynwent yn 1987. Daeth cyfle i ychwanegu yn 1993 pan ddathlwyd 75 pen-blwydd sefydlu Priordy Urdd Sant Ioan yng Nghymru. Penderfynais gael ffenestr wydr lliw unigryw yn yr eglwys. Cefais gefnogaeth frwd a chymorth gan y Rheithor, y Parch Canon Dr Sally Brush, a chymorth ariannol gan Gynghorau Sant Ioan Clwyd a Gwynedd. Yr un pryd cyflwynodd teulu Nanney Wynne faner wedi'i gwneud gan ferched lleol i goffáu cysylltiad y penteulu â'r Urdd. Bu Laura Jones, Barbara Jones, Gwen Hughes a Clwydwen Jones yn ddiwyd yn ei llunio, dan oruchwyliaeth boneddiges o Lanelwy. Cynhaliwyd gwasanaeth arbennig i gysegru'r ffenestr a'r faner gan Esgob Llanelwy ym mhresenoldeb y marchogion, sef holl aelodau siapter Priordy Cymru a Duges Caerloyw, prif swyddog Ambiwlans Sant Ioan Prydain.

Am ryw reswm annelwig anfonwyd y gwahodd-iadau i fod yn bresennol yn Saesneg pryd y dylent fod yn ddwyieithog. Parodd y digwyddiad i foneddiges o'r pentref ysgrifennu at sawl newyddiadur a chym-deithas, megis Cefn, i gwyno. Roedd y brotest yn hollol haeddiannol ond teimlwn y gallai'r mater fod wedi cael ei drafod yn fwy effeithiol yn dawel gyda'r Urdd. Yn arwyddocaol, ni chlywais am un o'm cleifion yn gwrthod teithio yn yr ambiwlans am fod dau o'r gyrwyr yn ddi-Gymraeg.

Bu fy nghyfaill, yr Uwch-swyddog David John Griffiths, Wrecsam, a minnau yn pryderu nad oedd unrhyw sylw i'r iaith Gymraeg yn y mudiad. Felly aethom i gyfarfod â'r Siapter yng Nghaerdydd i bledio am ganiatâd i gyfieithu'r llawlyfr safonol i oedolion. Wedi cryn ddadlau cafwyd caniatâd ar yr amod nad oedd yn golygu unrhyw gost i'r mudiad. Gyda chefnogaeth Cyngor Llyfrau Cymru a nifer o gwmnïau cyffuriau daeth yr arian i law. Yn ffodus, cytunodd Alwena Williams i gyfieithu Llawlyfr Cymorth Cyntaf Ambiwlans Sant Ioan, y Groes Goch a Chymdeithas Sant Andrew yn yr Alban. Cefais y pleser o gydweithio â hi ar dermau Cymraeg addas, a blasu aml i deisen a the yng Nghoed y Bedo, Cefnddwysarn. Yn y man darperais bolisi iaith Gymraeg i'r mudiad, ac yn dilyn hynny cyfieithwyd sawl pamffledyn cymorth cyntaf i ennyn diddordeb y cyhoedd. Bu cwmni Norwich Union yn noddi rhai ond pamffledi Urdd Sant Ioan oedd y rhan fwyaf ohonynt.

Bu cystadlaethau ambiwlans yn rhan o raglen yr Eisteddfod Genedlaethol ers yn gynnar yn y ganrif ddiwethaf. Caent eu cynnal mewn ysgol yn ymyl y Maes. Drwy gyfrwng y Saesneg y cynhelid yr holl weithgareddau. Felly, gwnaethom gais i Lys yr Eisteddfod i gael cynnal cystadleuaeth cymorth cyntaf yn Gymraeg ar Faes yr Eisteddfod a digwyddodd hynny am y tro cyntaf yn Eisteddfod Casnewydd yn 1988. Y flwyddyn ddilynol, yn 1989, a'r Eisteddfod yn Llanrwst, penderfynodd awdurdodau Llys yr Eisteddfod hepgor y cystadlaethau ambiwlans yn gyfan gwbl o hynny ymlaen. Cynhaliwyd y gystad-

Ieuaeth olaf ym mhabell gwyddoniaeth Eisteddfod Llanrwst. Bu Eisteddfod Genedlaethol yr Urdd yn cynnal cystadlaethau drwy gyfrwng y Gymraeg am sawl blwyddyn. Roedd modd gwneud hynny oherwydd i'r mudiad gyhoeddi gwerslyfr yn y maes ar gyfer pobl iau. Cefais fod yn rhan o'r gweithgareddau yn Llanrwst.

Dros y blynyddoedd cafwyd llawer o hwyl a throeon trwstan yn y cystadlaethau hyn. Un tro gosodwyd prawf yn yr awyr agored, sef bod gwraig wedi cwympo ar bigyn a hwnnw wedi treiddio i'w morddwyd. Plismon oedd un o'r cystadleuwyr ac aeth ati'n frwd-frydig i asesu'r sefyllfa. Ar ôl nodi ei bod yn dioddef sioc ddwys, dechreuodd agor botymau ei blows. Er mawr syndod cafodd fonclust gan y claf am ei frwdfrydedd, a dyna darfu ar y cystadlu. Ni welais olwg mor syn ar wyneb plismon erioed o'r blaen – ac yntau'n gwneud dim ond yn dilyn cyngor y llawlyfr cymorth cyntaf, 'undo tight clothing around the neck' – er rhaid cyfaddef fod ei ddwylo'n tueddu i grwydro ychydig!

Dro arall, ffugiwyd damwain car gyda thri wedi'u hanafu. Cafodd dau ohonynt sylw teilwng i'w clwyfau, ond ni welodd yr un o'r cystadleuwyr y trydydd. Roeddwn wedi'i osod i orwedd yn anymwybodol y tu ôl i wrych. Hen gast, onide. Cefais y fraint o fod yn gysylltiedig ag Urdd Sant Ioan am dros hanner canrif a chyfarfod llawer o wirfoddolwyr â'u bryd ar wasanaethu eu cyd-ddynion.

Anifeiliaid ymosodol ac ambell ddamwain

Roedd y tir drwy ganol y practis yn weddol wastad ond codai'n serth ar ei ddwy ochr. Dair milltir o Gerrigydrudion cyrhaeddai ffordd yr A5 ei huchafbwynt o dros 1,000 o droedfeddi. I dramwyo'r lonydd culion hyn, roedd y gallu i yrru car yn ddiogel bron mor bwysig â bod yn feddyg dibynadwy. Treuliem lawer o amser yn y car yn ymweld â chleifion, pellter o ddeng milltir i Felin-y-wig, i Nebo ac i Gwm Eidda. I'r cyfeiriad arall, roedd naw milltir i Fetws Gwerful Goch. Yn achlysurol byddai galwad i Landrillo, bymtheng milltir i ffwrdd, neu ddeuddeng milltir i Gynwyd.

Roedd yr angen i agor llidiardau niferus i gyrraedd rhai ffermydd, cynifer â phump ohonynt i ddwy, yn creu temtasiwn i sibrwd geiriau anweddus. Datblygodd Dr Ifor sgìl arbennig i wthio'r llidiart gyda thrwyn y car a rhuthro drwodd cyn iddo gau ac yn achlysurol byddai handlen ar ddrws blaen yr ochr chwith â'r olwg ryfeddaf arni, y llidiart wedi ennill y ras!

47

Wedi crwydro mae'n bryd dychwelyd i fyd yr anifeiliaid. Cefais brofiad diddorol wrth ymweld â fferm Plasucha, Ysbyty Ifan, lle roedd tri llidiart, ac wedi agor yr ail gwelais darw yng ngwaelod y cae. Yn fuan, clywais sŵn carnau'r tarw du Cymreig yn rhuthro i'm cyfeiriad. Safodd o flaen y car cyn gosod ei gyrn dan y ffender a'i siglo i fyny ac i lawr. Felly eisteddais yn fy sedd tan i Mathonwy Jones, ŵyr yr adnabyddus Thomas Jones, Cerrigellgwm, ddod i'w yrru ymaith gyda phicfforch.

Dro arall roeddwn yn ymweld â thyddyn yn Llanfihangel, ac ar ôl cyrraedd y llidiart i'r buarth sylweddolais ei fod wedi'i gloi. Felly nid oedd dim i'w wneud ond dringo drosto. A minnau hanner ffordd ar draws y buarth clywais sŵn carnau'n clecian ar y llawr ac yn prysur nesáu gwelais faharen a'i ben i lawr. Yn amlwg roedd am roi croeso tywysogaidd i mi! Rhedais ar unwaith ac ymbalfalu dros y llidiart a Roy, fy mab ieuengaf, yn lladd ei hun yn chwerthin yn y car. Sefais a gweiddi, 'Hei' nerth esgyrn fy mhen nes i wraig y tŷ ddod a chydio'n ddiseremoni yng nghyrn y diafol corniog a'i lusgo ymaith. 'Beth yw peth fel hyn?' meddwn. Atebodd hithau, 'Nid yw'r cŵn lawer o werth ac mae hwn yn cadw dieithriaid i ffwrdd.' Ar fferm Moelfre Newydd, Cerrigydrudion, trigai ceiliog twrci ymosodol a fynnai fy nanfon ar frys ar hyd y buarth yn gyson, a minnau'n meddwl yn ddichellgar mai ei gartref haeddiannol oedd yn y popty a'i fol wedi'i lenwi â stwffin Paxo. Un diwrnod, wedi hen syrffedu arno, tynnais fy stethosgop o'r bag bach du a'i chwifio uwch fy mhen fel erfyn a tharo'r creadur yn ei big. Cefais yr un boddhad â Dafydd wedi iddo daro Goliath yn ei dalcen, a chefais heddwch fyth ar ôl hynny.

Yn achlysurol ymosodai'r da byw ar yr amaethwr. Pan ddeuthum i'r ardal gyntaf, teirw du Cymreig a gedwid fel arfer a thueddent i fod yn ffyrnig. Yn ystod fy neng mlynedd gyntaf yn yr ardal ymosodwyd ar wyth o'm cleifion. Rhwng 1950 ac 1960 lladdwyd dau ohonynt, un yn dad i blant ifainc. Golygai colli penteulu fod y weddw'n gorfod ymdopi â rhedeg y fferm yn ogystal â magu'r teulu bach.

Yn ddiweddarach daeth teirw Henffordd yn boblogaidd ac roeddynt yn llai ymosodol. Cofiaf i un gwas fferm sefyll yn ymyl tarw du Cymreig yn y côr a chafodd ei wobrwyo â chic yn ei ben. Daeth i'm meddwl ysgrif G K Chesterton yn adrodd hanes rhyw Private Watkins, milwr yn y Royal Horse Artillery, yn ystod Rhyfel Mawr 1914–18. Meddai, 'He was called upon to be kicked by a horse.' Erbyn i mi gyrraedd y fferm gorweddai'r claf ar setl yn y gegin, yn llwyd ei wedd a'r llawr yn fôr o waed. Gofynnais i'r amaethwr fynd i Gerrigydrudion i ofyn i Stanley Hughes ddod â'r ambiwlans. Yn y cyfamser rhoddais ychydig o bwythau yn y clwyf i atal y gwaedu. Aeth ugain munud heibio, a minnau ar bigau'r drain euthum i'r drws ac roedd yr amaethwr yn cerdded yn hamddenol i fyny'r buarth a bwced yn llawn o lefrith ym mhob llaw. Gofynnais, 'Ble mae'r ambiwlans?' ac atebodd yntau'n ddigyffro, 'Rwyf yn mynd i'w cheisio'n awr.' Yn dilyn trallwysiad gwaed yn yr ysbyty dychwelodd y claf i'w gynefin.

Gyda threigliad amser ymddangosodd y parlwr

godro, a'r gwartheg yn sefyll yn rhes ger y trestl i'w godro â bysedd trydan. Collwyd y sgìl o odro â llaw, ond o leiaf pallodd clwy'r tethi â bod yn broblem. Collwyd y berthynas glòs oedd rhwng y ffermwr a'r fuwch. Aeth hithau'n fwy annibynnol ac ymosodol, yn arbennig ar ôl esgor ar lo. Gwelais nifer o glwyfau, yn cynnwys toresgyrn, fel canlyniad i heffer â llo yn ymosod. Dro arall cofiaf heffer yn cornio gwraig drwy daflod ei genau a pheri niwed sylweddol. Un bore Nadolig daeth gwraig o Fetws Gwerful Goch i'r feddygfa â llabed ei chlust chwith yn lled hongian, wedi'i rhwygo gan hwch, a chefais gryn drafferth ei phwytho'n ôl. Ar y llaw arall, roedd hwch yng Nglangors y byddai tri o'r plant yn marchogaeth arni. Un flwyddyn, nhw oedd sêr Sioe Amaethyddol Uwchaled yn marchogaeth rownd y cylch!

Un diwrnod daeth tyddynnwr i'r feddygfa a'i ddwrn ar gau'n dynn. Pan agorodd ei law roedd ei ddannedd gosod uchaf yno'n ddau ddarn. Wrth iddo redeg ar ôl clagwydd roedd hwnnw wedi agor ei adenydd a'i daro yn ei geg.

A minnau yn y feddygfa un gyda'r nos daeth cyfaill i mewn yn drist ei wedd a dweud, 'Doedd o'n drist am fam y misus.' Meddyliais, nefoedd wen beth sydd wedi digwydd. Gofynnais mewn braw, 'Beth sy'n bod?' Atebodd yntau, 'Llygoden fawr wedi dwyn ei dannedd gosod.' Gwelais led-wên yn goleuo'i wynepryd. Ymddengys ei fod wedi mynd i siopa i Gorwen gyda'i wraig a gadael ei mam yn gorwedd ar y soffa yn y gegin. Aeth i gysgu a phan ddeffrôdd roedd heb ei dannedd gosod uchaf. Gan fod nifer o lygod mawr yn y bing, y casgliad naturiol oedd fod ei cheg wedi agor a'r dannedd ychydig yn llac ac wedi cwympo allan. Yn ôl y mab yng nghyfraith roedd ei cheg yn agored yn gyson pan fyddai'n effro hefyd! Cymerodd un o drigolion y gegin gefn fantais ar ei gyfle.

Cefais f'atgoffa o ddigwyddiad lawer blwyddyn yn gynharach pan euthum gyda nifer o gyfeillion ar drip ysgol Sul o Stiniog i Landudno. Bu cyffro mawr, roedd un o'r seintiau hŷn wedi mynd i nofio yn y dyfnder glas a phan ddychwelodd i'r lan roedd wedi colli ei ddannedd. Dichon fod rhyw siarc oedrannus wedi medru cnoi ei fecryll yn rhwyddach byth mwy.

Digwyddai damweiniau ar y ffermydd yn weddol gyffredin. Bellach roedd yr olygfa o weld y ceffyl gwedd yn sefyll yn urddasol rhwng cyrn yr aradr wedi diflannu o'r fro. Roedd oes y peiriannau wedi cyrraedd. Yr unig achlysur y gwelid ceffyl gwedd yn ei ogoniant yn yr ardal oedd yn Sioe Amaethyddol Flynyddol Uwchaled. Hir erys y cof o weld rhes o geffylau yn eu lifrai a'u haddurniadau pres yn fflachio yn yr heulwen. Er nad oedd bellach yn torri cwys i'r amaethwyr lleol, gadawodd ei gymynrodd i mi. Fel rhyw boenydiwr canoloesol bûm yn tynnu ewinedd ceimion bodiau mawr traed wedi'u sathru am sawl blwyddyn. Adroddodd fy nghyfaill ffraeth John Davies, Minffordd, ei hanes yn llanc yn gweithio ar fferm Perthi Llwydion, cartref y bardd a'r porthmon Edward Morus, a hithau'n gynhaeaf gwair. Aeth â'r drol i'r cae i'w llwytho ac wrth iddo'i thywys i'r sied llithrodd un olwyn i'r ffos gan ddymchwel y llwyth. Dywedodd, 'Rhedais i'r cae a gweiddi ar yr amaethwr, "Mistar, mae Bocsar wedi taflu'r llwyth ond mae'n siŵr mai fi gaiff y bai".'

Pan oedd ceffylau ar y ffermydd, roeddynt yn achosi dau dorasgwrn cyffredin, sef torasgwrn yr asennau a thorasgwrn yn yr arddwrn. Wrth ddilyn y wedd, yn achlysurol byddai'r aradr yn dod i wrthdrawiad â charreg gan beri i'w chyrn godi a tharo'r llanc yn ei asennau. Dro arall, wrth dywys ceffyl byddai'r ffermwr yn bachu ei fawd yn y ffrwyn ac os digwyddai'r ceffyl godi ei ben yn ddirybudd gallasai dynnu cyhyryn yn y bawd ac achosi i un o esgyrn bach yr arddwrn dorri. Roedd yr asgwrn bach hwn, y sgeffoid, yn gyndyn i asio ac yn gallu achosi problem i'r meddygon esgyrn. Pan ddaeth ceir gyntaf roedd angen troi handlen i gychwyn yr injan, a digwyddai'r un torasgwrn pan fyddai honno'n cicio'n ôl.

Pan gafwyd peiriannau gyntaf, nid oedd unrhyw reolaeth ar eu defnyddio. Erbyn heddiw aeth ymyrraeth pwysigion iechyd a diogelwch dros ben llestri ac yn fwrn. Serch hynny, cafodd amodau Iechyd a Diogelwch ddylanwad gwerthfawr ar safonau ym myd amaeth. Yn anffodus, mae camddefnyddio'r rheolau gan rai bodau awdurdodol yn gwneud llawer amgylchiad yn destun gwamalrwydd. Am gyfnod hir nid oedd angen gwisgo helmed ar dractor na cheisio amddiffyn y clyw rhag niwed gan sŵn peiriannau. Gwelais nifer o farwolaethau o dorasgwrn penglog oherwydd i dractor droi drosodd a rholio i lawr llethr serth. Byddai gweld ambell un â'i dractor ar ongl beryglus yn agor cwys yn peri i wallt pen godi.

Digwyddiad doniol, a allai fod wedi troi'n achlysur

trist, oedd hwnnw ddigwyddodd i un gwas fferm oedd yn gyrru tractor o ffordd Gellïoedd i Garthmeilio yn Llangwm. Wrth iddo aros i agor llidiart ac yntau a'i gefn ato, rhedodd y tractor a'i daro yn ei gefn ac achosi iddo syrthio'n fflat ar ei wyneb. Trwy wyrth, roedd wedi glanio ar fawndir meddal a rhedodd olwyn fawr y tractor drosto o'i glun i'w gorun gan adael ei phrint ar hyd ei gefn a'i gorun. Roedd pwysau'r tractor wedi peri iddo suddo i mewn i'r mawndir ac roedd amlinelliad ei gorff yn amlwg! Roedd yn crynu fel deilen, ond nid oedd flewyn gwaeth. Yn achlysurol, syrthiai rhywun o ben tas neu lwyth o wair. Un tro llithrodd ffermwr yn ei saithdegau oddi ar lwyth ar drol ac aeth ei holwyn dros ei ben. Trwy ryw wyrth nid oedd fymryn gwaeth.

Dro arall roedd cyfaill yn cario gwn dwy faril ar gefn y tractor ac aeth dros garreg gan beri i'r gwn danio ac achosi clwyf difrifol yn ei ystlys. Roedd yn amlwg yn dioddef sioc ddifrifol ac roedd y clwyf yn yr ystlys dde. Nid oedd amheuaeth nad oedd ei iau wedi'i rwygo a'i fod ar fin marw o waedlif mewnol. Er hynny roedd ei feddwl yn glir a rhesymol a dywedodd wrthyf lle y dymunai gael ei gladdu. Tristwch oedd colli gŵr ifanc cymeradwy yn ei fro.

Cawsom nifer o ddamweiniau angheuol i amaethwyr ifainc eraill. Roedd un ohonynt yn paratoi offer trydan yn y beudy ar gyfer godro pan gafodd ei drydanu. Erbyn i fy mhartner, Dr Geraint, gyrraedd nid oedd modd ei adfer. Chwaraeodd anlwc ran dyngedfennol yn yr ail ddamwain pan aeth llanc pedair ar hugain oed i dorri coeden tua deg troedfedd o uchder gyda lli gadwyn. Safai'r goeden ar ben cae llethrog. Gwisgai'r bachgen welingtons ac roedd y glaswellt yn wlyb. Tra oedd yn llifio bôn y goeden llithrodd i lawr y llethr a glanio ar ei wyneb ar garreg gron yn mesur tua throedfedd ar ei thraws. Oherwydd cymhlethdod toresgyrn yn y trwyn a'r wyneb gwaedodd i mewn i'r llwybr anadlu a mygu. Roedd wedi marw cyn i mi gyrraedd. Petai wedi syrthio droedfedd neu ddwy i'r dde neu i'r chwith byddai wedi dianc gyda mân glwyfau. Cryfhaodd fy nghred fod gan ffawd ran amlwg mewn penderfynu hirhoedledd dyn. Ni fyddai fy nain yn cytuno, ei sylw hi fyddai, 'Rhaid plygu i'r drefn.'

Dichon mai damweiniau ar ffordd Caergybi oedd yn ein cadw brysuraf. Ar gyfartaledd, byddem yn cael galwad neu ddwy allan ar y rhan fwyaf o ben-wythnosau yn yr haf. Roedd troeon Glyn y Diffwys a Phadog yn nodedig am nifer y damweiniau a ddigwyddai arnynt. Ar gyfartaledd, byddem yn cael dwy neu dair damwain angheuol ar y Glyn neu Badog bron bob blwyddyn. Ym mhumdegau'r ugeinfed ganrif roedd beiciau modur a sgwteri yn boblogaidd, ac eithriad oedd gweld helmed yn cael ei gwisgo. Niwed i'r pen oedd achosion marwolaeth fynychaf. Archwiliem y claf ar ochr y ffordd ac anfon adroddiad i'r Crwner. Am rai blynyddoedd roedd yntau'n derbyn achos y farwolaeth yn y cwest heb archwiliad *post-mortem* gan batholegydd fel sy'n digwydd heddiw. Ar ôl gweld nifer o'r fath ddamweiniau sylweddolais mewn un achos fod y pen yn llipa fel doli glwt. Y rheswm am hynny oedd toresgyrn fertebrau yn y gwddf. Wrth archwilio'r fath achosion wedi hynny darganfûm fod nifer sylweddol o achosion torasgwrn penglog angheuol yn cael eu cymhlethu gan doriad esgyrn y gwegil. Roedd niwed i goesau'n gyffredin hefyd.

Gan nad oedd archwiliad *post-mortem* gallasai fod alcohol neu gyffuriau'n ffactor ond nid oedd dichon profi hynnny dan yr amgylchiadau. Daw i'm cof stori a glywais gan fy hen gyfaill Dr John Martin, Penmachno. Adroddodd ei hanes pan oedd yn batholegydd i Lywodraeth Gogledd Borneo. Os byddai dyn yn blino ar swnian ei wraig, mater bach oedd rhoi ychwanegiad i'w huwd neu pa beth bynnag oedd ei brecwast. Yna anfonid y corff i lawr yr afon am ddau neu dri diwrnod mewn canŵ yn y gwres llethol. Gellir dychmygu ei chyflwr erbyn cyrraedd pen y daith. Felly cymerai'r meddyg chwistrell fawr â nodwydd lydan a'i gwthio drwy'r croen i mewn i'r stumog. Yna sugnid ei chynnwys i'r chwistrell cyn ei gymysgu ag India-corn a'i fwydo i'r ieir. Pe byddai'r ieir yn goroesi, y ddedfryd oedd nad llofruddiaeth oedd achos y farwolaeth! Dichon fod elfen o dynnu fy nghoes yn y stori hon.

Trafferth gydag ambell wraig!

Cefais drafferth gyda gwragedd dau o sgweieriaid y fro. Ar derfyn yr Ail Ryfel Byd roedd cynllun mewn bod i rai o drueiniaid gwersylloedd carcharorion rhyfel yr Almaen ddod i blastai ym Mhrydain i geisio adfer eu hiechyd. Roedd cwpl o'r fath yn yr ardal a deuent i'r feddygfa yn cwyno eu bod yn gweithio o fore glas tan hwyr saith niwrnod yr wythnos. Wrth archwilio'r wraig gwelais olion poenydio ac roedd mewn cyflwr isel. Felly rhoddais nodyn iddi i dystio nad oedd mewn cyflwr i weithio. Y noswaith honno derbyniais alwad ffôn gan wraig y sgweier. Meddai'n sarrug, 'Beth yw eich meddwl yn ymyrryd â'n trefniadau domestig? Ni chaiff un o'ch traed groesi rhiniog y tŷ hwn.' Atebais innau fy mod yn credu bod cenhedlaeth o bobl ifainc wedi aberthu eu bywydau i atal y fath anghyfiawnder. Nid dyna ddiwedd y stori; flynyddoedd yn ddiweddarach cefais groesi'r rhiniog i gwblhau ail ran tystysgrif i'w hamlosgi.

Dro arall cefais fy ngalw gyda'r nos i weld merch ddeuddeg oed ciper un o'r stadau. Roedd gwraig y sgweier yn fy nisgwyl yn yr ystafell gysgu. A minnau'n archwilio'r eneth roedd yn fy ngwylio fel barcud. Roedd gwres y claf yn uchel ac roedd ychydig o smotiau coch i'w gweld y tu ôl i'w chlustiau. Gofynnodd y wraig, 'Beth sydd arni?' ac ymatebais drwy ddweud na allwn drafod natur salwch claf gyda hi. Meddai hithau, 'A ydych yn siŵr eich bod yn gwybod beth yr ydych yn ei wneud?' Atebais, 'Nid oes gennyf angen eich cymorth chi' ac aeth ymaith yn swta. Wedi i mi ymadael pwysodd ar y ciper i alw meddyg arall i'r tŷ; ymatebodd yntau'n ddewr, o ystyried ei fod yn dibynnu ar y stad am ei fara beunyddiol, fod ganddo lwyr ymddiriedaeth ynof. Euthum i ymweld fore trannoeth ac roedd y claf yn well ond wedi'i gorchuddio â smotiau'r frech goch!

Gallai sgweier y Foelas fod yn ddialgar yn achlysurol. Cofiaf am un o weithwyr y stad yn adrodd hanes ei fab. Pan oedd yn ei arddegau cynnar roedd ar y ffordd ym Mhentrefoelas pan aeth y sgweier heibio. Yn y prynhawn cafodd y tad neges i ddod i'r plasty gyda'r nos honno. Pan aeth yno dywedodd y sgweier wrtho, 'Your lad did not raise his cap to me today in the village.' Atebodd y tad, 'I'm sorry, sir, but the day is fast approaching when not one of the boys will be raising their caps to you.' O ystyried bod ei fara menyn a'i gartref yn nwylo'r sgweier roedd yn ymateb beiddgar. Gwasanaethodd y mab yn y Lluoedd Arfog yn ystod yr Ail Ryfel Byd ac wedi cael ei ryddhau o'r fyddin roedd â'i fryd ar ymuno â'r heddlu. Gofynnodd i'r sgweier am lythyr o gymeradwyaeth ond gwrthod fu'r canlyniad.

Un tro cefais fy ngalw at ddamwain lle roedd dau gar wedi mynd benben â'i gilydd ar y Glyn. Gorweddai gwraig flonegog ar ochr y ffordd, ac mae'n rhyfedd beth ddaw i feddwl creadur dan y fath amgylchiadau. Roedd y foneddiges yn ymwybodol a di-boen ond yn welw iawn. Gan nad oedd yn gwaedu'n allanol cododd y posibilrwydd fod y sioc yn cael ei hachosi gan waedlif mewnol. Felly, gofynnais iddi godi ei ffrog er mwyn i mi gael archwilio'i bol. Gwaetha'r modd, roedd yn gwisgo staes hen ffasiwn, ac felly'n achosi problem dechnegol! Nid oedd dewis ond gwthio fy llaw yn dyner rhwng y staes a'i chroen i chwilio am arwyddion fod un ai'r iau neu'r ddueg wedi rhwygo. Ar ôl gorffen archwilio ceisiais dynnu fy llaw ymaith, ond, och y fath drasiedi, roedd wedi'i charcharu dan y staes. Drwy dynnu fel aelod o dîm tynnu rhaff, llwyddais yn y man i'w rhyddhau er mawr ollyngdod i'r ddau ohonom. A dyna'r unig dro i mi geisio gwthio fy llaw dan staes unrhyw foneddiges.

A minnau'n bwyta fy mrecwast un bore canodd cloch y feddygfa. Yn sefyll wrth y drws roedd merch ifanc yn crynu fel deilen ac yn wlyb o'i chorun i'w sawdl. Roedd bonheddwr canol oed gyda hi, a gofynnais iddo beth oedd wedi digwydd. Atebodd yntau, 'This young lady went through a fence into a stream, about three miles towards Llangollen.' Roedd yr eneth yn amlwg yn dioddef gan sioc ond yr unig anaf oedd ysigiad bawd mawr ei throed. Yn ystod meddygfa'r bore, yr unig sgwrs yn yr ystafell aros oedd fod Morris Minor wedi cwympo dros y Glyn i afon Ceirw. Myfyrwraig ar ei ffordd i'r fferi yng Nghaergybi er mwyn dychwelyd adref i dreulio'r gwyliau gyda'i theulu yn yr Ynys Werdd oedd y ferch. Ar ddiwedd y feddygfa euthum i'r Glyn i weld â'm llygaid fy hun beth oedd wedi digwydd. Roedd y Morris wedi cwympo 90 troedfedd a glanio ar ei olwynion yn yr afon, a chyrhaeddai'r dŵr bron i'w do. Bu yno am nifer o ddiwrnodau, nes y daeth craen arbennig i'w godi i'r ffordd. Dyna wyrth os gwelais un erioed.

Nid oedd y damweiniau wedi'u cyfyngu i'r Glyn a Phadog. O gyfeiriad Rhuthun i Gerrigydrudion mae allt serth yn arwain i bentref Llanfihangel Glyn Myfyr, ac ar ei gwaelod mae Tafarn y Goron a thro 90 gradd i'r pentref dros bont afon Alwen. Un noswaith, a'r ffyddloniaid yn mwynhau eu peint, daeth beic modur o gyfeiriad Rhuthun. Yn lle troi am y pentref aeth ymlaen drwy ddrws agored y dafarn, ar hyd y cyntedd ac i lawr grisiau oedd yn arwain i'r seler. Nid oedd y gyrrwr flewyn gwaeth ond ni chafodd fynediad i gynnwys y seler! Rai misoedd yn ddiweddarach aeth gyrrwr beic modur arall gam ymhellach yn yr un fan. Ar ôl rowndio'r tro bu mewn gwrthdrawiad â chanllaw'r bont a chael ei hyrddio drosodd a glanio ar ei ben. Nid oedd yn ymddangos lawer gwaeth er bod ei helmed yn chwilfriw. O ystyried maint ei gwymp penderfynwyd ei anfon i'r ysbyty. Clywais wedyn ei fod wedi marw ymhen ychydig oriau. Yr achos oedd gwaedu'r tu mewn i'w benglog.

Digwyddai damweiniau angheuol ar ffyrdd unionsyth hefyd. Yn fy nghyfnod i lladdwyd saith ar y filltir a hanner rhwng Bronafallen a phentref Cerrigydrudion. Cafodd dwy ferch ifanc oedd yn cerdded i gyfeiriad pentref Cerrigydrudion yn y tywyllwch eu taro gan gar a'u hyrddio i gae Glan-y-gors yn gelain. Digwyddodd ambell ddamwain arall pur ysmala ar y ffordd hon. Canodd cloch y feddygfa am hanner awr wedi chwech un bore. Safai tri gŵr wrth y drws, ac roedd wyneb un ohonynt yn gwaedu. Roedd eu car wedi gadael y ffordd dyrpeg a glanio ar gae Glan-y-gors. Diwrnod Ffair Borth ydoedd ac roeddent ar eu ffordd yno. Ar ôl trwsio clwyf y gwaedwr gofynnais am rif y car a manylion ei yswiriant i wneud cais am y ffi o 12/6 oedd yn daladwy am ddelio â chlwyfau damweiniau ffordd. Bu cryn drafodaeth rhwng y tri ac yn y man dywedodd un wrth y llall, 'Pay the man, Manny.' Yn ddiweddarach yn y bore daeth ein plismon, y Rhingyll Ifor Jones, heibio ar ôl bod yn archwilio'r car. Roedd yn llawn o sanau neilon yn barod i'w gwerthu, ond rhyw ddwsin ohonynt yn unig oedd yn ffit i'w gwisgo!

Un o'm gwendidau niferus yw acroffobia, sef ofn uchder. Am bump o'r gloch ar fore Sadwrn oer un hydref cefais alwad allan i ddamwain ar bont Padog. Mae ffordd Caergybi yn mynd dros y bont ar ongl o 90 gradd. Roedd beiciwr modur o Lundain wedi methu ei rowndio ac wedi mynd ar ei ben i glawdd y bont ac wedi'i hyrddio drosti i afon Conwy yn y ceunant islaw. Glaniodd ar ei wyneb ar graig yng nghanol y lli. Wrth edrych i lawr roeddwn yn dyfalu sut y gallwn fynd ato oherwydd roedd y creigiau ar ddwy ochr yr afon yn serth. Yn y man daeth plismon Pentrefoelas i'r golwg, ac ar ôl cymryd un cipolwg sydyn dywedodd, 'Af i fyny'r ffordd i reoli'r traffig!' Trwy ryw wyrth cyrhaeddodd nifer o fyfyrwyr o Brifysgol Llundain ar eu ffordd i ddringo yn Eryri. Dyma glymu rhaff am fy nghanol a'm gollwng fel sachaid o datws dros ganllaw'r bont. Dilynodd dau o'r bechgyn fi i'r ceunant. Erbyn hyn roedd ambiwlans, brigâd dân a phedwar plismon wedi cyrraedd. Ar ôl rhybuddio un o'r bechgyn fod pwll dwfn ychydig yn is, aethom yn ofalus i'r afon a llwyddo i osod y claf ar stretsier cyn ei symud i'r lan. Yn y cyfamser roedd y plismyn wedi llwyddo i ddod i lawr llechwedd yn uwch i fyny a cherdded yn yr afon o dan y bont. Felly, ar ôl dychwelyd dan y bont a dringo'r llethr cawsom y stretsier i'r ambiwlans a ninnau'n wlyb domen. Y diwrnod canlynol derbyniais alwad ffôn gan Miss Long, llawfeddyg yn Ysbyty Llandudno, yn ein hysbysu fod y beiciwr a achubwyd wedi torri ei ddwy fraich, ei belfis a'i ffemwr, a'i fod yn weddol foddhaol.

Dro arall roeddwn yn dychwelyd o Fetws Gwerful Goch ar brynhawn braf ac ar y Glyn roedd nifer o bobl yn edrych dros lethr serth ar gar oedd wedi mynd dros y dibyn a rholio nes glanio ar ei do 70 troedfedd islaw. Cyrhaeddodd brigâd dân Corwen a gollyngodd fy nghyfaill Adrian Roberts fi ar raff i lawr gyda nifer o'r dynion tân, a buan y llwyddon nhw i ryddhau'r pedwar person oedrannus a'u rhwymo ar stretsier i'w codi i'r ffordd. Fel y digwyddodd nid oedd yr un ohonynt wedi'i anafu'n ddrwg.

Yn 1920 cychwynnwyd ar fenter dair milltir o Gerrigydrudion i adeiladu argae ar afon Alwen i ddarparu cyflenwad dŵr ar gyfer Penbedw. Nid oedd ffordd i'r fan a chariwyd y cerrig adeiladu o Gorwen gydag injan dractor drom. Felly, o bentref Cerrig byddent yn dringo'r tir corsiog ac yn creu rhychau dwfn. Adroddai John Davies, Minffordd, hanes fel y byddai rhai o'r Gwyddelod oedd yn gweithio ar yr argae yn dod i'r pentref ar nos Wener am sbri. Ar ôl noson ddifyr, aeth un ohonynt i drwmgwsg yn un o'r rhychau a phan ddeffrôdd yn y bore roedd yn nhraed ei sanau, a rhywun wedi dwyn ei esgidiau!

Dro arall, roedd un o'r trigolion lleol yn marchogaeth ei ferlyn tuag adref pan aeth yr anifail i rych ddofn. Eto dan ddylanwad anesthetig alcohol, aeth ei feistr i gysgu a'i ddwy goes ar dir cadarn bob ochr i'r rhych. Pan ddeffrôdd, nid oedd golwg o'r merlyn – roedd wedi parhau i gerdded adref a gadael ei feistr â throed bob ochr i'r rhych. Dyna'r stori!

Adeiladwyd ffordd darmacadam yn y man ac arweiniai'r ffordd hon i weithgaredd enfawr yn 1973 pan ddechreuwyd adeiladu argae ar afon Brenig, prin hanner milltir o gyflenwad dŵr yr Alwen. Roedd llawer o weithwyr fel morgrug yn llafurio yn y fan a byddai Dr Geraint Owen a minnau yn cael ein galw at ddamweiniau byth a beunydd, yn cynnwys un angheuol. Penderfynwyd ein bod yn cymryd y galwadau bob yn ail. Un diwrnod daeth galwad fod un o'r gweithwyr wedi'i anafu'n dost yn y tŵr dŵr, 230 metr o uchder ger yr argae. Cytunwyd bod Doctor Geraint a minnau'n mynd draw yno'r tro hwn. Ar ôl cyrraedd troed y tŵr gofynnais i reolwr y safle, 'Ble mae'r grisiau?' Atebodd yntau'n llon trwy estyn ei fys at fwced pedair troedfedd o led ac uchder a rhaff yn dirwyn ohoni i graen ar gopa'r tŵr, 'Awn i fyny yn hon.' Dywedais wrth Geraint, 'Ewch chi, ac arhosaf amdanoch yma.' Atebodd yntau'n bur swta, 'Nid wyf am fynd i fyny i'r fan yna ar fy mhen fy hun.' Felly, gyda'r ddau ohonom yn syllu i'r pellter, cawsom ein cario yn y fwced a honno'n siglo yn y gwynt. Wrth inni gyrraedd y copa meddai'r rheolwr wrthyf, 'Buasech yn gorfod talu am hyn yn Blackpool.' Achos y ddamwain oedd cansen laeth a dŵr ynddi yn cael ei chodi gan y craen i'w gostwng tu mewn i'r tŵr fel y gallai'r gweithwyr yno wneud te. Yn anffodus torrodd y rhaff a chwympodd y gansen a glanio ar gefn un o'r gweithwyr gan beri niwed i'w asgwrn cefn. Ar ôl ein gollwng ar y platfform lle gorweddai'r claf cawsom stretsier arbennig Holger-Nielsen o wiail a strapiau a ddefnyddid gan ddringwyr. Wedi rhwymo'r claf ynddo a'i osod ar draws wyneb y fwced, a Geraint a minnau un bob ochr, cawsom ein codi i ben y tŵr cyn cael ein gollwng yn ddiogel i dir caled. Dychwelsom i'r feddygfa am gwpaned o goffi. O'r fath ryddhad!

Gorffennwyd adeiladu'r argae yn 1976. I ddiolch i'r ardal am y croeso a dderbyniodd y gweithwyr cyflwynodd Cwmni McAlpine gae chwarae i'r ysgol a'r gymuned. Cynhaliwyd agoriad swyddogol gyda chynghorwyr a phobl bwysig eraill yn bresennol. Ysgrifennais at y cwmni i holi am stretsier roeddwn wedi'i roi ar fenthyg iddynt, gan nad oedd llawer o ddarpariaeth yn y gweithle. Ar yr un pryd mynegais f'anesmwythder am y diffyg gofal yno. Cefais lythyr yn honni na wyddent unrhyw beth am y stretsier ac yn ymffrostio bod y gweithle yn hynod o ddiogel ac mai un dyn yn unig a laddwyd yno. Ni chafodd Doctor Geraint na minnau air o ddiolch am dair blynedd o wasanaeth iddynt.

Dro arall, cefais alwad i ddamwain ar y Glyn, lle roedd lorri bragdy â llwyth o gasgenni cwrw wedi methu cymryd y gornel ac wedi mynd drwy'r clawdd, a'r cab yn hongian uwch gwagle i'r afon 90 troedfedd islaw. Drwy ryw wyrth roedd y gyrrwr wedi dod allan o'r cab yn y tywyllwch drwy gamu'n ôl i dir cadarn. Pe bai wedi dod allan wrth ei ochr byddai wedi disgyn fel plwm i'w dranc yn yr afon. Nid oedd wedi dioddef unrhyw anaf ond roedd yn crynu fel deilen.

Un digwyddiad a achosodd dristwch mawr i mi oedd cael galwad yn hwyr ar noson niwlog at wraig oedd dan boen meddwl oherwydd gofalon teuluol. Dywedodd ei gŵr iddi fynd i'w gwely'n gynnar. Pan aeth yntau i'r gwely sylwodd ei bod, yn ei dyb ef, yn chwys domen. Wedi goleuo fflachlamp gwelodd fod y gwely'n wlyb o waed gan ei bod wedi agor gwythiennau yn ei braich. Anfonais am yr ambiwlans, ac atal y gwaedlif ag ychydig o bwythau. Aethom â hi'n anymwybodol i Ysbyty Llandudno a phan adenillodd ymwybyddiaeth ar ôl derbyn trallwysiad, edrychodd arnaf a dweud, 'Pam na fuasech wedi gadael i mi fynd?' Cafodd ei dymuniad ymhen wythnos trwy drawiad angheuol ar y galon.

Dosbarth 4 yn Ysgol Glanypwll yn 1936. Fi yw'r cyntaf ar y dde yn y rhes gefn.

Yn ifanc a nwyfus pan yn wyth ac yn 13eg oed.

Gyda fy rhieni, John Isaac a Catherine Ellen Davies.

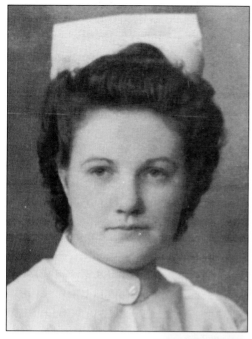

Sybil yn ei gwisg nyrs
yn Ysbyty Stanley,
1948.

Yn ymlacio o flaen
Cartref y
Gweinyddesau,
Ysbyty Stanley,
Lerpwl.
Sylwer bod rhwystr ar
y ffenestr. I gadw'r
meddygon allan!

Ein priodas ar y 9fed o Fehefin, 1950.

Fy mhlant, o'r chwith, Glyn, Ceri a Roy.

Bronafallen, ein cartref a'r feddygfa.

Eira yng Nghwm Penanner yn 1962.

Sybil yn clirio eira yn Llechwedd.

Ar achlysur gosod radio teleffon yn y car ar donfedd y
Gwasanaeth Ambiwlans Cenedlaethol.
Gyda Philip Stanley a David Leadbetter, swyddogion ambiwlans.

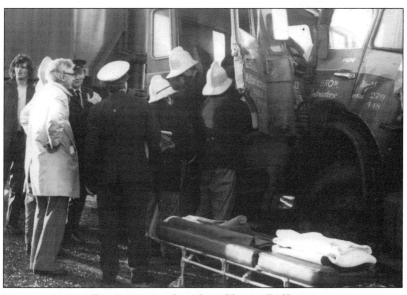

Damwain ar droadau Glyn y Diffwys.
Yn aros i aelodau Brigâd Dân, Corwen ryddhau'r claf.

Dr Geraint a minnau gyda'n offer damweiniau.

A dyma ni ar ffordd yr Alwen.
Garn Prys dan flanced o eira yn y cefndir.

Sybil a minnau o flaen Eglwys Sant Ioan, Caerdydd yng
ngwasanaeth blynyddol Urdd Sant Ioan, 1998.

Baner Urdd Sant Ioan
yng Nghymru yn
Eglwys Ysbyty Ifan.

Gyda Duges Caerloyw ar achlysur dadorchuddio ffenestr Sant
Ioan yn eglwys Ysbyty Ifan, 1993.

Cael fy urddo yn Farchog gyda'r Urdd Sant Ioan gan Dug Caerloyw, 1989.

Wedi derbyn yr OBE yn 1997.
O'r chwith i'r dde: Ceri, fi, Sybil a Glyn.

Sybil a minnau gyda ffrind yng Ngheudwll Llechwedd, 1984.

Gyda Dr Rosina Davies yn yr Orsedd.

Blaenoriaid Capel Cefnbrith
gyda'r gweinidog Parch Geraint Roberts.
Rhes flaen: Y diweddar Caereini Roberts, fi a Gerallt Thomas.
Yr ail res: Huw Iorwerth Morris, Iorwerth Vaughan Davies
a Helen Ellis.

Sybil a minnau yn agor y Ganolfan Iechyd
yng Ngherrigydrudion, 2004.

Sybil a minnau gyda'n wyresau, Hanna ar y chwith a Naomi ar y dde, 2008.

Yn cael fy nerbyn
yn Gymrodor er
Anrhydedd,
Prifysgol Cymru,
Bangor yn 2007.

Gyda Ceri a fy wyresau Ffion, Llinos a Meinir
a'u plant hwythau – Gethin, Elen a Llŷr.

Diwylliant cyfoethog

Un o'r prif ffactorau a hoeliodd fy mryd ar gartrefu yn
Uwchaled oedd y diwylliant cyfoethog a'r gweith-
gareddau di-ben-draw. Fel yn llawer o bentrefi
Cymru'r bedwaredd ganrif ar bymtheg, roedd band
pres yng Ngherrigydrudion ac adroddodd fy nghyfaill
ffraeth John Davies, Minffordd, beth o'i hanes wrthyf.
Un flwyddyn aethant i Ddolgellau i arwain y carnifal.
Ar ôl ymgynnull yr ochr ucha i'r bont dros afon
Mawddach dyma holi, 'Be chwaraewn ni gyntaf?'
Atebodd un ohonynt, 'Yr Early Bird', sef ymdeithgan
nerthol. Felly dyma gychwyn yr orymdaith dros y bont
ac ar hyd un o strydoedd culion y dref. Pan oeddynt
hanner ffordd rhuthrodd perchennog siop lestri allan
â'i ddwy law i fyny. Gwaeddodd, 'Stopiwch wir, hogia
bach, mae'r potia'n neidio oddi ar y silffoedd!'

Cynhelid diwrnod Clwb Meddygol yr ardal yn y
pentref ar ddydd Iau Dyrchafael. Byddai rhai
aelodau'r Clwb yn archwilio'r llyfrau yn ystafell y
plwyf. Ar ôl gwledda byddai'r band yn mynd i'r
rheithordy i berfformio ar y lawnt. Amgylchynid y

lawnt â nifer o goed ac roedd nyth yn un ohonynt. Ar
ôl chwarae ychydig o ddarnau cerddorol bu trychineb.
Syrthiodd cyw allan o'i nyth yn syth i lawr corn y
chwaraewr ewffoniwm. Er iddo ymdrechu'n deg ni
ddaeth unrhyw sŵn o'r corn. Wedi hen flino ar
chwythu trodd at ei gyfaill a dweud, 'Mi chwytha i'r
diawl corn nes bydd o'n syth.'

Arferwn alw'n rheolaidd ar fy nhaith i'r feddygfa
ym Metws Gwerful Goch i weld cwpl oedrannus oedd
yn byw ar fferm gyda'u mab. Dioddefai'r ddau gan
ddiffyg traul ac roedd y ffisig gwyn yn cael croeso. Un
dydd Iau, a minnau ar frys i gyrraedd y feddygfa,
gwelais yr hen ŵr yng ngwaelod y buarth yn helpu'r
mab i atgyweirio'r beudy. Felly archwiliais y wraig ac
addo gadael potel bob un iddynt. Fel roeddwn yn mynd
i'r car gwelodd fy hen gyfaill fi a phrysurodd ataf.
Dywedais fy mod wedi archwilio'i wraig a'm bod am
wneud ffisig iddynt ac y byddwn yn ei archwilio yntau
ar f'ymweliad nesaf. Ei ymateb oedd, 'Hy, mae gen i
ofn mai doctor merched ydych chi hefyd.' Roedd wedi
cael cam!

Roedd derbyn babanod i'r byd yn rhoi cyfle i feddyg
ddatblygu perthynas glòs â'r teulu. Dywedodd Dr Ifor
wrthyf ei hanes yn defnyddio penisilin am y tro cyntaf
yn Uwchaled yn 1948 i drin achos o dwymyn ôl-esgor,
cyflwr oedd â chyfradd uchel o farwolaethau. Roedd
penisilin yn brin yn y cyfnod hwnnw ac roedd angen ei
gadw mewn rhew a'i chwistrellu i'r claf bob pedair
awr. Byddai Stanley a Mrs Claudia Davies yn mynd i
Ysbyty Maelor, Wrecsam, bob yn ail i geisio cyflenwad
o'r cyffur. Disgrifiodd Dr Ifor ymateb y claf fel gwyrth;

ymhen ychydig oriau o gychwyn y driniaeth roedd yn amlwg yn llwyddiant. Er bod penisilin wedi'i ddarganfod yn 1928 ni chafodd fawr o sylw na'i gynhyrchu ar raddfa fasnachol tan y 1940au.

Yn ystod deunaw ar hugain o flynyddoedd bu bron i ddwy fam golli'r dydd ar enedigaeth. Yn yr achos cyntaf ni wyddwn fod gwraig o Fetws Gwerful Goch yn feichiog nes i mi gael fy ngalw ati a hithau ar fin esgor. Roedd yn welw fel memrwn ac roedd yn amlwg yn anemig a bod angen trallwysiad gwaed arni. Nid oedd curiad calon y baban i'w glywed. Anfonais i hi ar frys i Ysbyty Llanelwy ac fe wnaeth Edward Parry Jones, yr obstetregydd, wyrth arni. Gwaetha'r modd, roedd y baban yn farw-anedig.

Roedd yn un rhan o'r fro gynhyrchydd trydan ar gyfer tai'r gweithwyr. Nid oedd yn or-ddibynadwy. Trefnais i un o'r trigolion oedd yn feichiog fynd i Gartref Mamaeth Rossett i esgor oherwydd bod cyflwyniad y babi'n ffolennol (*breech*). Pan oedd ar fin esgor aeth i Rossett ond, gwaetha'r modd, cafodd ei cheryddu gan y fydwraig am ysmygu yn y toiled ac fe ddaeth adref yn ddiarwybod i mi. Wyth awr ar hugain yn ddiweddarach cefais fy ngalw ati yn hwyr yn y nos a'r hyn oedd yn fy aros oedd troed fechan. Nid oedd calon y babi i'w chlywed ac ofnais ei fod wedi marw yn y groth. Wedi cryn drafferth ganwyd y baban yn farw. A minnau'n ei archwilio, clywais ochenaid o'r gwely lle roedd y fam wedi colli gwaed ac yn anymwybodol. Anfonais am R Owen Jones, yr obstetregydd o Riwabon. Daeth yntau â'i wynt yn ei ddwrn a photeli o waed yn ei fag. Gan fod y golau'n wan gofynnodd i mi gael bwlb trydan cryfach i gael gwell golau i osod trallwysiad. Felly, sefais ar y gwely, un droed bob ochr i'r fam, i'w newid. Roedd y fatres yn gyfforddus ond roeddwn yn siglo fel morwr ar fwrdd llong mewn storm, a'r canlyniad oedd i'r holl offer trydan ddod yn rhydd yn fy llaw. Llwyddodd yr arbenigwr i gwblhau'r gwaith yng ngolau fflachlamp ac achub y fam. Am fisoedd ar ôl hynny byddwn yn derbyn llythyrau ganddo o'r ysbyty yn dechrau, 'Annwyl *electrician*!'

Ar ddau achlysur cefais y profiad o ddod ag un bychan i'r byd wrth ochr y ffordd dyrpeg. Y tro cyntaf roedd yr ambiwlans ar ei ffordd i Ysbyty Rhuthun ac wrth agosáu at Gwyddelwern roedd y golau glas yn fflachio, ac ymhen pum munud roedd y bychan yn wylo'n hapus yn fy nwylo. Dro arall roedd y fam wedi sicrhau gwely yn Ysbyty Dewi Sant, Bangor. A hithau ar fin esgor galwyd am ambiwlans a chan fod arwyddion fod yr esgor yn prysuro dilynais yr ambiwlans i Fangor. Wedi cyrraedd Llyn Ogwen fflachiodd y golau glas ac aethom i gilfach yn y ffordd. Yn fuan roedd y bychan yn hapus ym mreichiau ei fam.

Cefais brofiad arbennig o gael cydweithio â bydwraig hynod, sef Nyrs Jones, Penmachno. Gan fod Cwm Eidda yn Sir Gaernarfon hi oedd yn gyfrifol am y gwasanaeth. Er ei bod yn ei saithdegau, dysgais lawer wrth weld ei hunanfeddiant, ei thynerwch a'i medrusrwydd. Pleser oedd bod yn bresennol gyda hi ar achlysur hapus yn Eidda. Rhoddodd y rhieni newydd gloc pres hardd yn anrheg i mi cyn mudo i Awstralia.

Un noswaith dychwelais adref wedi llwyr flino ar ôl dod â baban i'r byd ac roedd gennym ast labrador a hithau'n cwna. Cefais siars i'w gadael allan ar dennyn, ond mentrais gan feddwl na fyddai fwy na dau funud, a'r hyn welais oedd yr ast yn neidio dros y llidiart ac yn ei goleuo hi i lawr y ffordd bost. Ofer fu'r chwilio amdani am oriau a'r bore canlynol cefais fy neffro'n gynnar ganddi'n cyfarth wrth y drws a golwg hapus ar ei hwyneb. Ymhen y rhawg cyrhaeddodd nifer o gŵn bach ac mewn byr amser daeth y postman â'r canlynol:

HELYNT Y DOCTOR

Daeth heibio hen frân straellyd
un bore yn ei hast,
i adrodd am ryw ddoctor
mewn helbul efo'i ast.

Daeth ati awydd cariad
a mynnodd ryddid llwyr,
ond nid oedd sôn amdani
pan ddaeth cysgodau'r hwyr.

Y meddyg yn ei ffwdan
(yn ofni'r gyfraith braidd)
yn troedio tir Pantdedwydd
a ffriddoedd Clust-y-blaidd.

Er chwilio ffordd Caergybi
o'r Glasfryn tua'r Llan,
doedd siw na miw ohoni
i'w ganfod mewn un man.

69

I'w wely'n bur flinedig
oddeutu dau neu dri,
yn diawlio yn ei galon
fod gast yn mofyn ci.

'Rôl suddo rhwng cynfasau
daeth cyfarth wrth y drws,
a chododd mewn pyjamas
i gloi y Petyn tlws.

Pan wawriodd dydd i esgor
ar hon, ym Moelwyn draw,
caed torllwyth dda o fwngrals
a'r doctor yn ei fraw.

A dwedodd wrtho'i hunan,
'Aiff cymaint cŵn yn bla,'
ci ffarmwr a gast ddoctor
nid yw yn groesiad da.

Mae oes y dienyddio
heb orffen eto'n siŵr,
fe foddwyd criw ohonynt
er bod hi'n brinder dŵr.

Cadd un neu ddau eu harbed
er gwybod y gwnaent sŵn,
ond rhaid ecsperimentio'n
y busnes bridio cŵn.

Gan nad oedd rhain wrth landio,
mae'n debyg, fawr o *size*;
wel, ofer ydoedd ffonio
am lorri T C Price.

A chlywais stori ddoniol
am ddoctor sydd yn fardd,
'lle plannu pys a cabaits
yn plannu cŵn mewn gardd.

Chwi, holl ddoctoriaid Cymru,
sy'n garddio i gyd, mi wn,
pan eisiau plants o fwngrels
ewch at y doctor hwn.

Ni wn ai gwir y syniad
mai effaith y fath sblash
a wnaeth i'r doctor rhadlon
gneifio ei fwstás.

Nid oedd angen gofyn pwy oedd y bardd na thad y cŵn bach. Bob Traian oedd y cyntaf a Monty, ci dawnus Glan-y-gors, oedd yr olaf. Pan fyddai rhywun yno yn chwarae piano, safai yntau ar ei ddwy goes ôl a chanu drwy udo'n uchel. Wrth sôn am ddienyddio cymerodd yr awdur benrhyddid bardd!

Trysoraf englyn a dderbyniais oddi wrth Doctor J G Thomas, tad Dr Gwyn Thomas, Dinbych. Yn achlysurol byddai un o'm cleifion yn mynd i Inffyrmari Dinbych i roi genedigaeth dan ofal y Doctor Thomas. Esgorodd un yn ystod yr wythnos gyntaf o Awst 1955, a'r Eisteddfod Genedlaethol ym Mhwllheli. Dyma adwaith y meddyg:

Pwy all weled gŵyl Pwllheli – a saint
Mis Awst yno'n berwi;
Tra bo hon mewn trybini
'N gwthio'r pen drwy'i hagen hi?

71

# Doctor!

Yn ôl ffasiwn y cyfnod roedd y brif feddygfa yn nhŷ'r meddyg ac roedd Bronafallen yn dŷ helaeth, wedi'i adeiladu gan Dr John Davies, taid Dr Ifor. Cofiaf Dr Ifor yn adrodd stori ei daid am ddigwyddiad ysmala. Roedd yn y llan ar ddiwrnod ffair pan ruthrodd un o'i gleifion ato i'w hysbysu fod ei wraig yn disgwyl babi. Dywedodd Dr John Davies wrtho, 'Os bydd gennyt f'angen tyrd i Fronafallen, ac wrth y drws cefn mae tiwb siarad i'm galluogi i siarad â'm cleifion yn ystod y nos pe bai angen.' Ymhen ychydig wythnosau, a'r meddyg yn ei wely, clywodd gynnwrf yn y buarth. Cododd i'r ffenestr a gwelodd y darpar dad yn gorwedd ar wastad ei gefn a'i geg wrth y beipen ddŵr o'r landeri yn gweiddi 'Doctor' nerth ei ben.

Ar y llaw chwith i ddrws y feddygfa roedd yr ystafell aros ac ar y llaw dde roedd y fferyllfa a dwy ystafell gyf-weld. Pan fyddem yn y fferyllfa'n paratoi ffisig byddem yn clywed y cleifion yn sgwrsio yn yr ystafell aros. Un nos Sadwrn clywais Willie Williams, Hafodre Ucha, tynnwr coes o ddifri, yn ymateb i un o'r cleifion eraill. Mewn ateb i ymholiad am natur ei ymweliad â'r feddygfa dywedodd, 'Mae doctor bach yn dweud 'mod i wedi cael rhyw haint yn fy stumog.' Cafodd gydymdeimlad haeddiannol – er mai'r gwir amdani oedd y byddai'n dod yn rheolaidd bob nos Sadwrn i gael chwistrelliad i reoli clefyd y galon.

Arferem drin cymalau a chyhyrau poenus gyda golau lamp moch bach, sef lamp *infra-red*, yn y lolfa. Cofiaf Bob Traian yn dioddef fferdod ei ysgwydd ac yn derbyn triniaeth dan wres y lamp ac yn rhwbio'r ysgwydd ag eli ïodin – triniaeth ychydig yn hen ffasiwn, efallai? Pan ddychwelodd ymhen wythnos dyma'i gyfarchiad i mi:

> At y lamp hen dramp a dry, – a'i ysgwydd
>   At osgo cynhesu;
>   Golau dwl ac eli du
>   Fwria y boen yfory.

Mae'r egwyddor o ddefnyddio ïodin a chyffuriau eraill, megis olew Wintergreen, tyrpant ac ati, sy'n gallu llidio'r croen i liniaru poen, yn hen iawn. Trwy lidio'r croen mae'n lleihau llid yn y strwythurau cyfagos. Un o'r eneiniau mwyaf adnabyddus o'r fath oedd Oel Morris Evans, a oedd yn gymaint o ffefryn gyda'r chwarelwyr. Fodd bynnag, gall arbrofi yn y maes achosi cymhlethdod. Cefais fy ngalw at un o gigyddion y fro; roedd ei wegil wedi'i orchuddio â phothelli. Fel y disgrifiodd ef, 'tân uffernol'. Wedi cryn fwmian a mwmian cyfaddefodd iddo rwbio'i war poenus ag embrocesion ceffylau. Dro arall gwelais hen gyfaill a chroen ei gefn yn goch a llidiog. Ar y silff-ben-tân roedd potel o Bengal Tiger Veterinary Iodine.

Adroddodd fy nghyfaill W O Jones, y milfeddyg o Lanrwst, ei hanes yn ymweld â thyddyn yn Cerrig i archwilio llo oedd yn wael. Yn ogystal â bod yn filfeddyg uchel ei barch – arferai fynd i'r Ynys Werdd i arholi myfyrwyr milfeddygaeth – roedd WO hefyd yn fferyllydd. Wedi i'r milfeddyg addo anfon cyffur iddo ar y bws, gofynnodd yr amaethwr am botel o ffisig at beswch. Fodd bynnag, cawliodd ei gwsmer gan yfed moddion y llo ei hun a rhoi'r ffisig peswch i'r dyniawed. Ni fu angen yr ymgymerwr, diolch byth!

Rhyfeddwn at yr adnoddau sydd ar gael i feddygon yn yr ail fileniwm. Soniais eisoes am yr anhawster o gysylltu â'r meddyg ar ei deithiau o amgylch y wlad. Yr arferiad oedd i ni adael rhestr o'n galwadau fel y gallai'r feddygfa geisio cael gafael arnom mewn argyfwng drwy adael neges ffôn yn y ffermydd. Newidiodd hynny yn y saithdegau cynnar. Bu ein cyfeillion yn Uwchaled yn hael eu cyfraniad i gronfa offer y meddygon. Un canlyniad oedd ein bod yn gallu ystyried gosod radio-teleffon yn ein ceir. Yn wreiddiol roeddem am osod y trosglwyddydd yn y feddygfa gydag erial gerllaw. Cawsom nifer o broblemau ond daeth y gwasanaeth ambiwlans statudol i'r bwlch. Credaf mai practis Cerrigydrudion oedd yr unig un i gael ei gynnwys ar donfedd y Gwasanaeth Ambiwlans. Mewn argyfwng byddai'r feddygfa'n ffonio'r gwas-anaeth a hwythau'n cysylltu â ni yn ein ceir. Câi'r gwasanaeth ambiwlans fudd hefyd trwy allu ein galw at ddamweiniau ar y ffyrdd. Heddiw mae'r ffôn symudol wedi symleiddio'r broblem.

Yn y blynyddoedd cynnar roedd ein hoffer i drin

damweiniau yn elfennol ac wedi'i gyfyngu i rwym-
ynnau, sblintiau pren a morffin. Sylwais fod defnyddio
morffin yn peri peth pryder oherwydd roedd yn
tueddu i ostwng pwysedd y gwaed yn isel. Yn gynnar
yn y saithdegau datblygwyd llawer mwy o offer megis
sblintiau plastig chwyddedig, peiriant nwy ac aer,
Minute Man, ocsigen, offer i gadw'r llwybr anadlu ar
agor ac ati. Felly gellid cynnig triniaeth fwy effeithiol.
Gwerthfawrogai Dr Geraint a minnau gefnogaeth yr
ardal. Yn aml rhoddid cyfraniadau er cof i Gronfa'r
Meddygon.

Yn y man sefydlwyd cymdeithas i hybu triniaeth
damweiniau, sef Basics (British Association of
Immediate Care Schemes). Credaf fod dau gynllun o'r
fath yng ngogledd Cymru. Yn un, gwnaeth Dr O C
Parry Jones, Benllech, lawer o waith gyda'r bad achub
ym Moelfre. Yn Cerrig y gweithredwyd yr ail gynllun.

Yn y pumdegau, y chwedegau a'r saithdegau
byddem yn cael eira trwm yn ystod y rhan fwyaf o'r
gaeafau ac roedd ffordd Caergybi'n cael ei chau bron
yn ddi-ffael. Byddai gweithwyr y Cyngor Sir yn
ddiwyd yn ceisio ei hagor gyda rhawiau, ac roeddem
yn ffodus o'r fforman, William Davies. Byddai'n galw
bob bore i holi ble roeddem angen mynd y diwrnod
hwnnw ac yn anfon dynion i agor y ffordd. Byddem yn
cerdded am rai dyddiau, i ymweld ag achosion brys yn
unig, ac nid oedd sesiynau'n cael eu cynnal yn y
feddygfa. Cefais ambell siwrne seithug oherwydd
camddealltwriaeth pan nad oedd y claf wir angen sylw
meddyg. Un prynhawn daeth neges i feddygfa
Pentrefoelas fod angen i mi fynd i weld gwraig

oedrannus mewn bwthyn ar Hiraethog. Gadewais fy nghar ar y briffordd a cherdded dwy filltir i'w gweld. Pan euthum drwy'r drws yr olygfa a welais oedd y wraig wrth y ford yn bwyta ei swper. Coffa da am gerdded o Gerrigydrudion i fyny Cwm Penanner, heibio Llaethwryd i Fwlch Mawn lle roedd mam ein cyfaill, Silla Ellis, yn wael. Wedi imi gwblhau f'archwiliad roedd cwpaned o goffi blasus yn fy nisgwyl. Ar ôl egwyl roeddwn yn croesi'r cwm ac arhosais ennyd i fwynhau'r olygfa, y cwrlid gwyn yn ymestyn i'r gorwel. Gallwn uniaethu â phrofiad Madog 'ddewr ei fron' yn glanio yn America,

and Madoc, brave of breast,
He put his foot where ne'er before a foot was put,

chwedl y rhigwm Saesneg. Tybed ai'r un oedd y wefr a deimlodd Neil Armstrong wrth gerdded ar wyneb y lleuad!

Yna brysio fel milgi i Blas Onn i weld achos brys yno a dychwelyd i'r Glasfryn lle'r arhosai Stanley amdanaf gyda'r car. Ymhen amser holais Silla beth oedd cyfrinach y coffi, a'r ateb oedd mai *rum* oedd ei hanner! Nid rhyfedd felly i mi groesi gwrychoedd a nentydd yn ddihidio. Roedd y daith tua wyth milltir dros dir llafurus.

Dro arall roeddwn ym Metws Gwerful Goch, wedi gadael y car ym maes parcio Tafarn yr Afr ym Maerdy a cherdded i'r feddygfa, pan ddaeth galwad frys at eneth yn ei harddegau yn Hiraethog, gryn bedair milltir i ffwrdd. A minnau'n cychwyn am Felin-y-wig i groesi i Ffordd Rhuthun ymunodd fy nghyfaill Bob Bodynlliw gyda mi gan ddweud, 'Dof gyda chwi.' Fel yr oeddem yn cerdded i gyfeiriad ffordd Rhuthun gwelodd Norman Edwards, Pwll Pridd, ni a daeth yntau gyda ni. Wedi cyrraedd y ffordd awgrymodd Norman efallai y gallai Bob Bryncelyn, Llanfihangel Glyn Myfyr, ein danfon ar ei dractor, ac felly fu. Trwy ffawd, nid oedd yr achos yn ddifrifol ac wrth ddychwelyd sibrydodd Bob, 'Nid oedd tegell yn y tŷ yna!' Cyraeddasom yn ôl i Fetws Gwerful Goch tua naw o'r gloch ac roedd Miss Thomas, yr Hand, wedi paratoi selsig a stwnsh tatws i mi. Yna dychwelyd i Ddinmael i'r car a chyrraedd adref tua 11 o'r gloch y nos.

Dro arall, un o'r gloch yn y bore, derbyniais alwad a hithau'n storm eira enbyd. Roedd plentyn deg oed yn wael iawn o'r crŵp ym mhen eithaf Cwm Penanner, taith o bedair milltir. Cerddais ar y ffordd dyrpeg i'r Glasfryn ac yna dringo i fyny ffordd gul y cwm a chyrraedd y ffermdy tua thri o'r gloch. Roedd yn rhwyddach cerdded y ffordd gul oherwydd bod cloddiau bob ochr iddi. Wedi gwneud yr hyn a allwn cysgais ar gadair yn y gegin, a'r bore canlynol daethom â'r claf ar dractor i gyfarfod yr ambiwlans yn y Glasfryn. Yn y man dychwelodd yn holliach a'r Nadolig canlynol cefais anrheg o dwrci gan ei rieni.

Un enghraifft arall o drafferth yn yr eira oedd derbyn galwad fod gwraig ar fin esgor, dri chwarter milltir o bentref Nebo, Llanrwst. Roedd wedi trefnu i fynd i Gartref Mamaeth Nant y Glyn, Bae Colwyn, ond nid oedd modd iddi fynd drwy'r eira. Cychwynnodd y fydwraig, Hester Munro, a minnau o Bentrefoelas i ddringo i Nebo. Ar ôl mynd chwarter milltir nid oedd modd mynd ymhellach, felly gorfodwyd ni i yrru'r car yn ei ôl i Bentrefoelas a mynd ar y briffordd i Lanrwst a dilyn y ffordd i Nebo. Cael a chael oedd hi i gyrraedd y pentref; yna gadawsom y car a cherdded drwy'r storm eira i'r fferm. Gan fod y fydwraig yn ddynes o gorff grymus a minnau'n fonheddwr gadewais iddi fynd yn gyntaf. Roedd fel ambarél fawr o'm blaen ac erbyn cyrraedd y fferm roedd hi fel dyn eira a minnau fel petawn newydd godi o'r gwely! Ar ôl croesawu'r bychan i'r byd cawsom ddychwelyd yn y bore drwy Lanrwst. Roedd bod yn bresennol ar enedigaeth baban yn un o'r dulliau mwyaf effeithiol o hybu cwlwm cyfeillgarwch â'r teulu.

Yr unig dro i mi gael braw mewn eira oedd pan oeddwn yn cerdded i Gwm Main, Cwm Penanner. Roedd ffordd i'r fferm nesaf, Cwm Orwr, yna roedd angen croesi caeau am tua milltir. Wedi cyrraedd Cwm Orwr gosodais fy ngolygon i'm cyfeirio at Gwm Main ac ar ôl cerdded am ysbaid codais fy mhen i ddarganfod fy mod o fewn ychydig lathenni i syrthio i afon Ceirw.

Ar sgwâr y pentref un prynhawn, deuthum ar draws Llwyd o'r Bryn ar ei ffordd i Gonwy yn westai yng nghinio'r Clwb Cŵn Defaid. Trefnwyd i mi ei gario i Lanrwst gan fod gennyf alwad yng Nghapel Garmon. Roedd y fferm, Gallt y Foel, ddeng milltir i ffwrdd ar allt serth. Ac eira'n gorchuddio'r wlad methais gyrraedd pen yr allt. Felly gadewais y ffawdheglwr yn y car. Ar ôl mynd ychydig lathenni clywais weiddi o

gyfeiriad y car: roedd wedi cychwyn llithro'n ôl.
Dyma'r canlyniad:

GWYLLTIO FU AR GALLT Y FOEL

A mi mewn eira llithrig
Wrth bont y Waterlŵ,
Mi glywais gorn y meddyg
O'm hôl fel gwdihŵ!
Ces drwydded trempyn ar ei war,
Yr oedd y doctor yn ei gar.

Canmolai garnau'i ferlyn
Pan drodd am Allt y Foel,
Fe ddringai grib y Moelwyn
Tra daliai nerth yr oel,
Ond ar y rhiw o chwerw hynt
Daeth atal ar bibelli'i wynt.

Ar drothwy erch gyflafan
Bron croesi'r olaf ffin,
Mi hoffwn fynd i Ganaan
Heblaw yn wysg fy nhin!
Ces fynd o Gonwy yn ŵr gwadd
Trwy rin hen garreg heb fy lladd.

Hyd fyth, mi gofia'r bacio
A'r bygwth marwol glwy,
Gwnaed Morris beth a fynno
Ni wêl mohonof mwy;
Doedd gennyf, druan, ond gwneud gwar
A'r doctor heb fod yn y car.

Y Gŵr Traed

"Byd gwyn yw byd a gano"

Anrhydedd oedd cael gwasanaethu mewn ardal mor gyfoethog ei doniau ag Uwchaled. Roedd cerddoriaeth yn enaid y fro ac roedd sawl côr meibion yn y pentrefi, yn arbennig yn gynnar yn y ganrif ddiwethaf. Roedd dau ym Metws Gwerful Goch: un dan arweiniad Clement Jones, taid Trebor Edwards, a'r llall dan arweiniad Enoch Evans, Brithdir, tad Margaret Edwards. Mae Trebor yn adnabyddus drwy Gymru a thu hwnt ond er ei enwogrwydd erys yn ddirodres a'i draed wedi'u plannu'n gadarn ar ddaear Cymru. Sefydlodd Margaret un o gorau ifanc mwyaf llwyddiannus Cymru, sef Côr Aelwyd Bro Gwerful. Mae hithau'n wraig aml-dalentog. Bu'n brifathrawes lwyddiannus yn Ninmael ac mae'n gontralto a allai fod wedi agor ei chŵys ei hun ym myd opera. Yn nauddegau'r ganrif ddiwethaf roedd dau gôr ym Mhentrefoelas, er nad oedd llawer o Gymraeg rhyngddynt. Mynnai un, 'Dydi'r John 'na yn gwybod dim am gerddoriaeth.' Deuai'r ymateb yn ôl yn yr un cywair.

Mae Côr Llangwm wedi rhoi'r ardal ar y map yn yr

Eisteddfod Genedlaethol dan arweiniad Bethan Smallwood, un o ferched talentog Brynffynnon, Llangwm. Un o'm huchelgeisiau oedd cael canu mewn côr ond methais. Yn ddeuddeg oed ymunais á Chôr Plant Tanygrisiau dan arweiniad William Morris Williams ond buan yr awgrymodd i fy mam nad oedd fy nhalent yn y cyfeiriad hwn. Cofiaf i mi ddweud â'm tafod yn fy moch fy mod yn siomedig nad oeddwn wedi cael gwahoddiad i ganu gyda Chôr Llangwm, gan gellwair fod Bethan yn bur annhebyg i'r Samariad trugarog, yn mynd heibio'r ochr arall i'r ffordd.

Mae llais Trebor Evans, enillydd y Rhuban Glas, yn adnabyddus drwy'r wlad. Roedd Emrys Jones, Pen-y-bont, Llangwm, yn arloeswr ym myd canu gwerin a mesur ei gyfraniad i ddiwylliant Cymru oedd cyflwyno iddo Fedal Syr T H Parry-Williams er clod yn Eisteddfod Maldwyn 1981. Derbyniodd radd MA haeddiannol gan Brifysgol Aberystwyth. Er bod y llais mwyn bellach yn fud ar y ddaear hon mae'r traddodiad yn cael ei gynnal gan ei fab, Dewi Prys. Mae Aeryn Jones yn enillydd yn yr Eisteddfod Genedlaethol ac yn hanu o deulu talentog yr Hafod. Cyfrannodd yntau'n helaeth o'i dalentau fel adroddwr a digrifwr. Derbyniodd Dorothy Jones, Llangwm, llenor a beirniad, Fedal T H Parry-Williams yn Eisteddfod Dinbych 2013. Ym mhen arall yr ardal, yn Ysbyty Ifan, roedd teuluoedd Pengeulan a Phennant yn gerddorion o fri, fel ag yr oedd teulu'r Fedw. Gwnaeth Edwyn Roberts, y Fedw, gyfraniad sylweddol i ganu gwerin ac mae teulu Hendre Cennin yn cario'r traddodiad gyda rhagoriaeth.

Ym myd amaeth cafodd nifer o'r ffermwyr lwyddiant gyda da byw yn Sioe Frenhinol Cymru, megis Esmor Evans, Brithdir, gyda theirw. Mae treialon Cŵn Defaid yn boblogaidd yn yr ardal a daeth Aled Owen, Penyfed, ag anrhydedd i'r fro drwy ennill sawl gornest a choroni'r cyfan drwy gipio pencampwriaeth treialon cŵn defaid y byd ddwywaith. Ymysg gwŷr nodedig y gorffennol roedd Edward Morris, Perthi Llwydion, Caradog Roberts a'i briod Leila Megane, y Brodyr Myfyr, Tyddyn Tudur, Jac Glan-gors a Huw Jones, Llangwm. Gellid enwi llawer mwy ond y ffaith yw fod y fro drwyddi draw yn ddiwylliedig.

Trigai John Cowper Powys yn Nhŷ-nant am rai blynyddoedd, cyn symud i Gorwen. Câi ei ystyried yn gawr o lenor yn yr Unol Daleithiau gyda'i nofelau hanesyddol megis *Owen Glendower*. Fel llawer proffwyd arall ni chafodd yr anrhydedd dyledus yn ei wlad ei hun. Byddwn yn galw yn fisol i ymweld â'i fam yng nghyfraith. Felly cefais gyfle i gael ambell sgwrs gydag ef a mwynhau ei ysgolheictod. Bu'n llythyru'n gyson ag Iorwerth Peate.

Un tro yn hwyr ar nos Sadwrn cyrhaeddodd Meic Stevens, y trwbadŵr adnabyddus, y feddygfa. Roedd wedi dioddef clwyf yn ei fys ac roedd angen ei bwytho. Gwelais ef flynyddoedd yn ddiweddarach pan oeddwn yn ciniawa mewn gwesty ac fe'm sicrhaodd nad oeddwn wedi amharu ar ei gyffyrddiad cyfareddol ar y gitâr.

Yn y saithdegau bu cryn gynnwrf yn Ysbyty Ifan pan ddaeth Hollywood i'r pentref i ffilmio drama Emlyn Williams, *The Corn is Green*. Seren y ffilm oedd

Katharine Hepburn. Un bore cefais alwad frys i Hafod Ifan gan fod y prif ddyn camera wedi syrthio'n anymwybodol ar y set. Roedd nyrs drwyddedig yn rhan o'r criw a phan gyrhaeddais y fan roedd yn penlinio wrth y claf. Dechreuais ei holi am hanes manwl y digwyddiad. Yna trodd Miss Hepburn ataf gan ddweud yn sarrug, 'Byddwch ddistaw!' Ddywedais i ddim ar y pryd ac ar ôl gorffen archwilio'r claf aeth cyfarwyddwr y ffilm, yr adnabyddus George Cukor, yr actores a minnau i'r ffermdy i drafod y sefyllfa. Ar ôl egluro y gallai fod wedi dioddef ffit epilepsi neu strôc trefnais i'r claf gael ei dderbyn i Ysbyty Llandudno. Y cais nesaf gan y cyfarwyddwr oedd i mi drefnu ystafell breifat iddo ond ymatebais mai mater iddynt hwy oedd unrhyw drefniant arbennig. Roedd cynnal y fath syrcas yn gostus a'r cwestiwn nesaf oedd am ba hyd y byddai yn yr ysbyty. Eglurais na allwn ddweud gan fod hynny'n dibynnu ar gwrs y clefyd. Awgrymais y byddai yno am o leiaf wythnos, i dderbyn profion a sganiau ac ati. Dilynodd yr actores fi o'r tŷ a dweud bod y claf wedi cael damwain mewn awyren rai misoedd yn gynharach ac anafu ei ben, er nad oedd ganddi unrhyw fanylion. Cymerais y cyfle i ddweud wrthi mai ceisio cael manylion manwl gywir yr oeddwn pan ddywedodd wrthyf am fod yn ddistaw. Gofynnais a oedd yn deall hynny, nodiodd ei phen yn gadarnhaol cyn cerdded ymaith yn swta. Ni chefais nac ym-ddiheuriad na diolch, na ffi am adael fy nghleifion yn y feddygfa i wneud siwrnai gron o ddeunaw milltir i'w cynorthwyo. Dichon fod pobl bwysig Hollywood yn ystyried ei bod yn anrhydedd i bwt o feddyg cefn gwlad gael sgwrsio â hwy! Clywais yn ddiweddarach fod y claf wedi gadael yr ysbyty ymhen wyth awr a deugain i ddychwelyd i ffilmio. Yna daeth y newydd iddo farw mewn byr amser wedyn.

Pan ymddeolodd un o feddygon Corwen, daeth gofalu am ddwy chwaer Hywel Hughes, Bogota, i'm rhan. Roedd y chwaer hŷn wedi dilyn gyrfa ddisglair fel colofnydd adnabyddus yn y *Daily Express* dan ffugenw. Gwnaeth ei marc mewn proffesiwn oedd bron yn gyfan gwbl dan reolaeth dynion bryd hynny. Roedd ganddi hiwmor arbennig ac roedd o natur ddireidus. Un diwrnod cefais set gyfan o Lyfrau Cyfres y Fil, O M Edwards, yn anrheg ganddi ac maent ymlith fy nhrysorau.

Meddyg unigryw

Roedd meddyg unigryw yn gymydog i mi ym Mhenmachno. Albanwr yn ei saithdegau o Ynys Skye oedd Dr John Martin. Câi foddhad wrth adrodd ei hanes gan ddechrau yn 1911, pan oedd yn feddyg teulu yng nghymoedd de Cymru. Arferai llawfeddyg o Gaerdydd ddod i'r cartrefi i dynnu tonsiliau'r plant druain. Cyflawnid y llawdriniaeth yn yr ystafell gysgu gyda Dr Martin yn rhoi'r anesthetig. Yna gosodid y tonsiliau ar blât i'r meddyg eu dangos i'r rhieni a derbyn tair gini o ffi. Hoffai Dr Martin fynd i aros yn Llundain adeg bob lecsiwn gyffredinol. Un tro, ac yntau'n bwriadu mynd i Lundain, daeth i Fronafallen ac ar ôl sgwrsio ychydig cyrhaeddodd bwrpas ei ym-weliad. Gofynnodd, 'A ydych yn brysur? Tybed a fyddech yn fodlon picied i Benmachno i wneud yn siŵr nad oes angen gwasanaeth meddygol ar fy nghleifion?' 'Iawn,' meddwn innau ac fe'm sicrhaodd na fyddai un person yn y feddygfa gan ei fod wedi rhoi gwybod i'w ddiadell ei fod yn mynd i ffwrdd. Y bore cyntaf roedd y feddygfa'n orlawn; roedd si wedi mynd ar led fod meddyg newydd yn dod dros dro. Roedd yn y fferyllfa

85

nifer o boteli dau litr o gymysgedd rhiwbob a soda a ffisig peswch du ond y rhyfeddod oedd amrywiaeth y tabledi asbrin: rhai melyn, coch, glas, gwyn a rhai wedi'u gorchuddio â siocled. Wedi iddo ddychwelyd o Lundain daeth y meddyg i'm gweld ac ar ôl diolch i mi dywedodd ei fod wedi cael un siomedigaeth, sef bod y fferyllfa bron yn wag. Dywedais wrtho fod cryn brysurdeb yn ei absenoldeb a'i ymateb oedd, 'I do not give them much medicines, I talk to them.' Arwydd o ddoethineb, greda i, ac mae llawer o synnwyr cyffredin yn ei resymeg mewn oes lle mae llyncu tabledi mor boblogaidd.

Mae'r diwydiant pils fel darn o lastig: dechrau efo un, yna ychwanegu nifer o rai eraill un ar ôl y llall, rhai ohonynt i wrthweithio sgileffeithiau'r rhai gwreiddiol. Gwelais glaf yn dychwelyd o'r ysbyty yn cymryd chwech ar hugain o dabledi bob dydd. Nid ceisio perffeithrwydd biocemegol yw dyletswydd meddyg ond gwella ansawdd bywyd y claf, ac yn aml mae'r ddau yn gwrthdaro.

Arferai Dr Martin gario anrhegion i'w gleifion, ambell ddysglaid o bwdin reis, neu hanner dwsin o wyau ac ati. Cefais gais i fynd i Benmachno i gwblhau ail ran tystysgrif amlosgi. Cyrhaeddais yn gynnar ac roedd y meddyg yn dal yn ei feddygfa. Felly cefais wahoddiad gan Mrs Martin i fynd i'r tŷ am gwpaned o goffi. Roedd hi'n wraig fonheddig ac yn arlunydd penigamp. Ar ôl rhyw fân sgwrsio clywais yr araith fwyaf anweddus yn dod o gornel yr ystafell. Codais fy ngolygon ac yno roedd parot yn mynd drwy ei bethau! Nid oeddwn yn ddigon hyderus i holi ei dras ond meddyliais mai rhyw longwr oedd wedi treulio ei oriau hamdden yn rhai o dafarnau amheus y dwyrain pell oedd ei hyfforddwr. Heb dagu ar fy nghoffi llwyddais i fod yn hollol fyddar – sefyllfa ddigon anodd mewn gwirionedd. Yn y man daeth y meddyg wedi gorffen ei feddygfa ac aethom i Gwm Penmachno, ac er annifyrrwch i mi eglurodd y meddyg i'r wraig fod ffi yn daladwy.

Roeddwn yn ffodus o gymdogion proffesiynol yn Rhuthun, sef Dr Lewis Jones a Dr Magor Winstanley, a Dr Maurice Jones, Dr Ian Roberts a Dr Tecwyn Jones yn y Bala. Roedd uned mamolaeth yn Ysbyty Rhuthun ac fe gawsom ganiatâd i'w rhannu. Bu dau feddyg Rhuthun yn barod â'u cymorth medrus i mi pan oeddwn mewn trafferthion fwy nag unwaith. Arferai Dr Winstanley a minnau fynd ar gyrsiau ôl-radd am wythnos bob blwyddyn. Roedd cyfle i gael gwyliau yr un pryd gan fod digon o amser rhydd gyda'r nos. Un flwyddyn aethom i Ysbyty Fictoria, Belfast, i astudio gweithrediad yr uned gofal dwys coronaidd gyntaf ym Mhrydain. Aethom yno gyda'r fferi dros nos o Lerpwl. Mynnai fy nghyfaill ei fod yn dioddef o glawstroffobia. Felly trefnwyd i mi gysgu ar y bync isaf. Cefais aflonyddwch drwy'r nos gan ei fod yn methu cysgu ac yn codi'n aml gan blannu troed yn fy mol neu ar fy mhen. Roeddem yn glanio am 6.30 y bore, a hanner awr yn gynharach clywais chwyrnu o'r bync uwchben. Felly dyma bwyso'n gadarn oddi tano â'm dwrn a gofyn mewn llais uchel, 'Wyt ti'n cysgu?'

Yn ystod yr wythnos cefais ddocyn parcio yn y ddinas. Roedd pedwar Gwyddel gyda ni ar y cwrs, a'u cyngor hwy oedd i mi ei anwybyddu. Ni chlywais air ymhellach amdano.

Cymeriadau diddan

Mae yng nghefn gwlad hiwmor a throeon trwstan ac yn yr amser a fu roedd ynddi gymeriadau diddan.

Mae'n bur debygol fod gan lawer ardal ei 'bardd cocos' ac un felly oedd Bardd Llidiart y Mynydd, Pentrefoelas. Ac yntau'n syllu ar fynydd Garn Prys un diwrnod trodd at ei gyfaill a dweud:

> Ar y garn y mae hwrdd
> Mae o yma heddiw ond fory aiff i ffwrdd.

Dro arall roedd yn llymeitian ym Mryntrillyn, y dafarn uchaf yng Nghymru yn ôl y broliant, ac yn syllu ar fur y bar cyn dweud wrth ei gydymaith:

> Ym Mryntrillyn y mae cloc,
> Mae'n mynd yn awr ond fe stopith toc.

Roedd ym Mhentrefoelas blismon uchel iawn ei barch, sef Mr John Morris, Gwernhywel Ucha, a bu dau o'i feibion yn Arolygwyr yn Heddlu Gogledd Cymru. Fodd bynnag, câi Mr Morris gryn drafferth gyda'r bardd pan fyddai dan ddylanwad yr hen heidden. Âi'n ymosodol ac arferai'r plismon ei ddanfon adref, gan ei bwnio'n ysgafn yn ei gefn â'i bastwn. Un noson o'r fath trodd yr hen bechadur at y plismon, a dweud:

> Mr Morris y polîs,
> Dydio ddim tebyg i Iesu Grist.

Roedd o leiaf ddau gymeriad yn Uwchaled oedd â'r ddawn i ddweud straeon mawr. Adroddai un fel y bu'n tyfu tatws ar un o gaeau Maes Tyddyn a phan ddaeth yr amser i'w codi cafodd gryn drafferth. Roedd un daten mor fawr fel y gorfodwyd ef i dyllu o'i hamgylch a chlymu cadwyn amdani a'i rhwymo wrth y gaseg. Ar ôl ei llusgo i'r llidiart cafwyd siomedigaeth – roedd yn rhy fawr i fynd drwyddo.

Bailiff ar fferm oedd y llall ac un diwrnod daeth y perchennog i'w weld. Roedd yn brolio ci defaid oedd ganddo a gofynnodd ei was a gâi ei fenthyg. Penderfynodd roi treial arno ac aeth i fyny bryn ar y fferm, a'i sylw oedd, 'Roeddwn yn ei gario dan fy nghesail hanner ffordd i fyny.' Dro arall aeth i ddod â'r defaid oedd yn pori ar yr Arenig adref. Ar ôl cyrraedd adref sylweddolodd fod tair dafad ar goll. Felly aeth i fyny bryn gerllaw gydag ysbienddrych a'i gi. Ar ôl lleoli'r defaid daliodd yr ysbienddrych o flaen llygaid y ci. Aeth hwnnw i ffwrdd fel mellten ac ymhen deuddydd dychwelodd gyda'r tair dafad golledig! Ailadrodd yr wyf.

Yn fuan ar ôl setlo yng Ngherrigydrudion cefais yr anrhydedd o gael fy nghamgymryd am arolygydd y

Weinyddiaeth Amaeth. Cefais alwad i Nantinwl, Llanfihangel, lle trigai amaethwr oedrannus ar ei ben ei hun. Nid oedd modd mynd â char i'r buarth, felly parciais ef yn Nhyddyn Tudur a cherdded i'r Nant. Ar ôl cyrraedd cefn y tŷ sylwais fod hofel ger y drws cefn. Cnociais y drws cefn am beth amser heb gael ymateb, ac felly gwaeddais, 'Oes rhywun adref?' Yna gwelais waed yn llifo allan dan ddrws yr hofel. 'Nefoedd fawr, beth yw peth fel hyn?' meddwn wrthyf fy hun. Ac ar y gair agorodd drws yr hofel a daeth gŵr allan yn chwifio cyllell waedlyd a'i ddwy law i fyny ac yn gweiddi, 'Roedd o'n gloff.' Roedd angen trwydded i ladd da byw bryd hynny. Cafodd fawr ryddhad o ddeall mai'r meddyg oeddwn!

Un noswaith cefais fy ngalw yn hwyr at un o gymeriadau'r fro oedd wedi syrthio oddi ar ei feic ar ôl cael gormod i'w yfed, nid am y tro cyntaf. Roedd ganddo rwygiad dwfn yn ei fraich a dywedais wrtho fod angen ei bwytho. Ei ymateb oedd, 'Dos adre'r diawl.' Felly nid oedd dewis ond ei adael am ychydig. Pan ddychwelais ddwy awr yn ddiweddarach roedd yn cysgu'n drwm a rhoddais nifer o bwythau iddo heb iddo symud o gwbl. Tybed ai prawf fod alcohol yn anesthetig rhagorol oedd?

A dyna helbul yr hwch. Aeth ffermwr â hwch at y baedd i fferm yn ymyl priffordd yr A5. Am ryw reswm annelwig roedd hwnnw'n gyndyn o wneud ei waith. Y canlyniad oedd ei bod wedi dechrau nosi pan ddychwelodd ar hyd priffordd Caergybi a chafodd ei erlid gan y plismon lleol am yrru anifail ar y ffordd fawr heb olau tu blaen a thu ôl iddo. Pan ymddangosodd o flaen ei well yn Llys Ynadon Cerrig roedd llawr y cwrt yn orlawn o'i gyfeillion. Cyrnol Wynne-Finch oedd y cadeirydd ac roedd dwy foneddiges ar y fainc. Wrth roi tystiolaeth cafodd y diffynnydd bleser yn disgrifio'n fanwl nad oedd y baedd wedi ymddwyn fel y dylai. Efallai ei fod yn ei ffordd ei hun yn ceisio dweud bod ganddo gur yn ei ben. Dyna esgus y merched, onide? Cafodd ddirwy o hanner coron ac ar y ffordd allan dywedodd wrth ei gyfeillion, 'Gaiff y moch bach dalu'r ddirwy.'

Dro arall safai cymeriad ffraeth ar sgwâr y pentref o flaen banc yr HSBC ac roedd nifer o Dystion Jehofa yn mynd o amgylch y pentref. Aeth un ohonynt, geneth ifanc, at ein cyfaill a chan ddal ei chyfrol dan ei drwyn, meddai, 'The Lord is coming.' Atebodd yntau fel bwled, 'My dear girl, the Lord is here every day.' Dyna ymateb y byddai unrhyw bregethwr sasiwn yn ymfalchïo ynddo.

Roedd ffliw yn drwm yn y fro a chefais alwad ar brynhawn dydd Gwener at foneddiges 90 oed oedd yn byw ar ei phen ei hun ac yn bur symol. Felly galwais y prynhawn canlynol. Roedd y teledu arno ac eisteddai'r claf wrth y ford â chap toslin am ei phen a sgarff am ei gwddf yn lliwiau clwb pêl-droed Lerpwl. Roedd yn gwylio'i harwyr yn cicio'n frwd ac yn ei llaw daliai fwg y clwb yn llawn o de. Ceisiais holi ychydig arni i geisio gweld a oedd yn gwella, ond yr unig atebion oedd, 'Ydw' neu 'Nac ydw'. Felly roedd rhaid encilio'n dawel o'r neilltu!

Trigai gwraig yng Nghwm Eidda ac roedd yn wreiddiol iawn ei sylwadau. Un tro roedd wedi cwyno i asiant yr Ymddiriedolaeth Genedlaethol fod cyflwr y landeri ar y fferm yn ddrwg. Galwodd yntau ymhen ysbaid ond nid oedd wedi cymryd unrhyw gamau i ddelio â'r sefyllfa. Atgoffodd y wraig ef a dywedodd yntau, 'It's alright, I have it all here,' gan bwyntio at ei ben. Atebodd hithau, 'It's all very well you having it there but it's up there I want them,' gan bwyntio at do'r tŷ. Dro arall daeth cymeriad arall heibio a hithau'n sefyll yn y drws. Gofynnodd iddi, 'A ydych yn mynd i Lanrwst efo'r merched, Mrs Pugh?' Roedd Sefydliad y Merched Ysbyty Ifan yn mynychu'r pwll nofio ar y pryd. Atebodd hithau, 'Nac ydw'n wir, mae digon o ddŵr yn ein cwt glo ni.'

Cafwyd prawf fod meibion fferm yn paratoi'n gynnar at ddilyn yr alwedigaeth pan aeth un cymydog i ymweld â fferm gyfagos. Fel yr oedd yn croesi'r buarth gwelodd nifer o fechgyn oddeutu deng mlwydd oed yn glwstwr yn un gornel. Roedd un ohonynt ar wastad ei gefn a'i freichiau a'i goesau wedi'u rhwymo ar led. Roedd un arall yn chwifio rhyw offer. Gofynnodd yntau, 'Beth ydych yn ei wneud?' Daeth yr ateb yn llon ac yn ddireidus, 'Mynd i dorri arno!' Rhyddhawyd y truan ac ymunodd yntau â'r gweddill i fwynhau'r cellwair.

Roedd un o'm cleifion yn dioddef gan garreg yn yr aren, ac nid oedd ganddo lawer o ymddiriedaeth mewn llawfeddygon. Arferai daro'i ben drwy ddrws y feddygfa yn achlysurol gan weiddi, 'Mi ges gythraul o boen yn fy nghefn neithiwr, ond rwyf yn iawn heddiw,' ac yna mynd ar ei daith. Dro arall, yn Ffair Cerrig cyfarfu â hen gyfaill oedd yn dioddef gan boen yn ei gefn. Meddai wrtho, 'Carreg sydd gennyt a'r driniaeth orau yw yfed cwrw lager.' Felly aed ati i gyflawni'r driniaeth gyda brwdfrydedd yn y Llew Gwyn. Fore drannoeth cefais alwad i weld claf y lymbego. Yn aml gall alcohol wneud poen sy'n codi o'r cyhyrau'n waeth. Eglurais hynny iddo a'r ymateb oedd, 'Y Johnnie ddiawl 'na a'i lager.'

Daeth y Rhingyll Ifor Jones, ein plismon yng Ngherrigydrudion, i'r feddygfa un diwrnod. Roedd ganddo ddant llygad poenus a mynnai ei fod yn rhy brysur i fynd at y deintydd a gofynnodd i mi ei dynnu. Honnodd mai gorchwyl bach fyddai gan ei fod yn rhydd. Fel y digwyddai, roedd gennyf ychydig bach o brofiad o dynnu dannedd. Pan oeddwn yn Swyddog Damweiniau yn Ysbyty Stanley, Lerpwl, un o'r dyletswyddau oedd rhoi nwy i'r deintydd oedd ar y staff i dynnu dannedd. Roedd yn dipyn o gymeriad ac ambell waith byddai'n mynnu rhoi'r nwy wrth fy nysgu i dynnu'r dant. Felly euthum i'r afael â'r dant 'rhydd'. Fu erioed y fath ysgarmes ond diwedd y gân oedd fod y dant yn yr efel a'r ddau ohonom wedi chwysu chwartiau.

Roedd cyflwr economaidd amaethwyr yn y cyfnod rhwng y ddau Ryfel Byd yn wael ac aeth un o'r tyddynwyr i lawr i'r de i weithio yn y pyllau glo. Dychwelodd yn y pedwardegau. Roedd yn Annibynnwr brwd ac un prynhawn Sul, ar ôl y gwasanaeth yng nghapel Gellïoedd, roedd yr aelodau'n trafod y capeli mawr a feddai'r Annibynwyr yng ngogledd Cymru. Wedi gwrando am ennyd torrodd ar eu traws. Meddai, 'Rydych yn sôn am gapeli mawr, ond nid ydych yn

gwybod dim amdani. Tasech chi'n gweld y capeli sydd
yn y sowth, efo berfa maen nhw'n hel casgliad.'

Ydi, mae hiwmor yn gymorth i ymdopi â
digwyddiadau trist.

Pils a crûm a rhai ffrindiau

Gellir olrhain ymdrech dyn i ddarganfod modd i liniaru dioddefaint ei gyd-ddyn i gyfnod cynnar iawn mewn gwareiddiad. Yn llyfrgell brenin Assyria roedd llysieulyfr a ysgrifennwyd tua 2000 CC. Mae prawf fod llysiau yn cael eu defnyddio yn China ac India yn yr un cyfnod. Ysgrifennodd John Wesley fod dyn yn anfarwol pan droediodd y ddaear gyntaf. Newidiodd hynny gyda chwymp Adda ac Efa yng ngardd Eden. Felly, afal oedd y llysieuyn cyntaf i ddwyn sylw dyn! Credai ein hynafiaid cyntefig fod rhinweddau llysiau'n deillio o'r duwiau, gyda rhai'n darogan fod rhan o enaid y goruwch-fodau ynddynt. Am ganrifoedd, byd natur oedd ffynhonnell cyffuriau a pharhaodd hynny hyd ail gyfnod yr ugeinfed ganrif pan ddechreuodd y gwyddonwyr ddarparu cyffuriau synthetig.

Pan ddechreuais ymarfer fel meddyg teulu yn 1950 roedd rhan helaeth o'r moddion yn deillio o lysiau. Tynnid y sylweddau allan drwy fwydo'r planhigyn mewn dŵr neu gymysgedd o ddŵr ac alcohol. Roedd tintur yn cynnwys alcohol yn cadw'n effeithiol yn hirach. I drin ecsema ac ati, cymysgid eli sinc gyda *liquor picis carbonate,* sef tar, ac roedd yn ddiguro i leddfu cosi. Ymhen amser daeth steroidau i fri, er na ddylid eu defnyddio am gyfnod hir. Daw i'm cof fy nghyfaill Huw Selwyn yn rhuthro allan o'i weithdy a minnau ar fy ffordd adref o Ysbyty Ifan. Roedd am ddangos brech ar ei fraich i mi. Addewais anfon eli iddo ond llwyr anghofiais. Felly ymhen ychydig ddiwrnodau drwy'r post derbyniais:

Lle gythrel mae yr eli – addewaist?
Diddiwedd yw'r cosi;
Bocsiad neu dyniad gyr di
Ar unwaith, 'rwy'n gwirioni.

Felly dyma anfon yr eli a nodyn:

I Huw Sel dyma'r eli – digymar,
Dug ymaith y cosi;
Llecha llau yn y llwch lli',
Bai hwn yw'r holl drybini!

Credaf fod y postmon wedi crafu'i ben fwy nag unwaith wrth adael ambell lythyr megis:

Ysig waedd gŵr llesg a hen, yn daerwedd
Hyd ŵr Bronafallen,
Y llys lle ceir ffisig a llên;
Tŷ'r Meddig, Cerrig, CORWEN.

Cyn 1948, pan sefydlwyd y Gwasanaeth Iechyd Cenedlaethol, arferai pobl drin mân anhwylderau â'r doreth meddyginiaethau patent â'u broliant lliwgar. Mae gennyf ddwy gyfrol yn trafod cynnwys a chost cynhyrchu'r moddion a'r rheini wedi'u cyhoeddi gan Gymdeithas Feddygol Prydain, un yn 1909 a'r llall yn 1912. Erys enwau rhai mewn cof, megis Doan's Kidney Pills, pris blwch 2s 9c a'i gynnwys yn costio dime; Hoffmann Headache Powders, pris 1s 1c a'i gynnwys yn werth dime; Eli Cuticura, pris 2s 6c, cost y cynnwys yn ddime; Zam-Buk, pris 1s 1c a'i gynnwys yn werth ffyrling. Dichon mai moddion i golli pwysau oedd y mwyaf proffidiol, megis Allan's Anti Fat, pris 6s 6c, cost cynnwys 3c, neu Russell's Anticorpulent Preparation, pris 6s, cost y cynnwys 2c. Roedd Beecham's Pills yn boblogaidd ac yn ôl y broliant yn gwella cur yn y pen, penysgafnder, gwynt, poenau stumog, cyfog, poen cefn, iselder ysbryd a rhwymedd! Pris y blwch oedd 1s 1c, a chost y cynnwys hanner ffyrling. Cychwynnwyd y busnes yn gynnar yn y bedwaredd ganrif ar bymtheg gan Thomas Beecham. Pan oedd yn fachgen yn dilyn ei waith fel bugail roedd yn gwerthu cyffuriau llysieuol fel ail fusnes. Fel llawer cwmni cyffuriau arall cychwynnodd gyda siop fferyllydd. Ym mhumdegau'r ugeinfed ganrif chwaraeodd y cwmni ran amlwg mewn cynhyrchu nifer o wrthfiotigau. Felly cwmni Glaxo hefyd. Un o'r cwmnïau enwocaf oedd Cwmni May a Baker, a ddatblygodd gyffuriau sylffonamid (M a B) oedd yn gallu lladd bacteria. Roeddynt yn hynod o effeithiol i drin niwmonia a haint ar yr arennau cyn i'r bacteria ddatblygu gwrthiant iddynt.

Er yr holl feddyginiaethau a'r llawdriniaethau gwerthfawr sydd gennym heddiw, erys geiriau Ieuan Glan Geirionydd cyn wired ag erioed:

Er meddygon a'u doniau, a phurlan
    hoff eirian gyffuriau,
diddim oll yn y dydd mau
unrhyw gyngor rhag angau.

Ar ddiwedd yr Ail Ryfel Byd ffrwydrodd y farchnad
gyffuriau a datblygwyd cyffuriau synthetig effeithiol
ar gyfer llawer o glefydau, ond roedd ganddynt
sgileffeithiau sylweddol. Cefais brofiad o gyn-
dynrwydd i gymryd tabledi pan aeth hen lanc oedd yn
byw efo'i fam oedrannus yn wael o niwmonia.
Rhoddais dabledi M a B 760 iddo a dywedais wrth ei
fam i roi pedair tabled iddo i gychwyn, yna dwy bob
pedair awr. Yr un pryd rhoddais y ffisig du arferol at y
peswch. Pan euthum i'w weld drannoeth roedd wedi
gwaethygu. Pwysleisiodd ei fam iddi roi dwy dabled
iddo'r diwrnod cynt a'i fod wedi cymryd y ffisig bob
pedair awr. Nid oedd yn llwyr ymddiried mewn rhyw
bwt o feddyg ifanc. Fodd bynnag, wedi cael gair gyda
Dr Ifor cafodd y claf ei ddogn cywir a gwellhad.

Roedd ganddo frawd oedd yn dioddef o boen yn ei
gefn yn achlysurol, a gofynnodd am botel o ffisig.
Rhoddais botel o gymysgedd sodiwm carbonad a
sodiwm salisylad, perthynas agos i asbrin, ac yn unol
â chyfarwyddyd yn y *Cyffuriadur* rhoddais dintur oren
i'w liwio. Mynnai'r claf nad oedd y botel hanner cystal
â'r ffisig coch a gawsai gan Doctor Ifor. Y gwahaniaeth
oedd y lliw, oherwydd defnyddiai Dr Ifor *Infusion
Aromat*, hylif coch â thuedd i losgi'r tafod, felly dysgais
innau'r wers. Cysylltiad y lliw coch â gwres oedd yn
lleddfu'r boen. Bellach mae'r botel ffisig bron wedi

diflannu o'r fferyllfa. Yn y man datblygwyd cyffuriau nerthol i drin pwysedd gwaed uchel, clefydau'r galon, clefydau rhiwmatig, cyflyrau seiciatrig ac ati.

Ymhen amser daethom i werthfawrogi medrus-rwydd Stanley Hughes a oedd wedi gwasanaethu yn Adran Feddygol yr Awyrlu yn ystod y rhyfel. Rhoddodd wasanaeth diflino i ni fel dosbarthwr tabledi. Pan ymddeolodd, cawsom ddwy wraig i gymryd swyddi rhan-amser fel derbynwyr ac i ofalu am y cyffuriau.

Yn olaf, daeth Ann Williams o'r Bala i gyflawni'r gwaith. Roedd Ann wedi cael profiad gyda fferyllydd am rai blynyddoedd. Erbyn hyn caiff y meddyg teulu gymorth nifer o staff: rheolwr practis, nyrs practis, gwaedwr, derbynwyr a fferyllydd.

Yn well nag unrhyw donig

Yn y pumdegau sefydlwyd y Gymdeithas Feddygol, yn bennaf drwy ymdrech Dr Tom Davies, Dr Donald Williams a Dr Ieuan Parri. Bu'r gymdeithas hon yn fodd i hybu cyfeillgarwch rhwng meddygon ledled Cymru. Gwnaeth waith clodwiw i hybu ymarfer meddygaeth drwy'r iaith frodorol. Cynhelid dwy gynhadledd penwythnos mewn gwestai moethus bob blwyddyn, un yn y gogledd a'r llall yn y de. Traddodwyd y darlithoedd yn gyfan gwbl yn y Gymraeg, a chefais innau y fraint o olygu *Cennad*, y cylchgrawn meddygol Cymraeg, am rai blynyddoedd.

Pe byddai unrhyw broblem yn codi byddwn yn picio i weld un o enwogion Cymru a ddaeth i fyw i'r ardal, sef Dr Tecwyn Lloyd. Byddai ef yn sicr o setlo'r broblem a chefais y fraint o'i gyfeillgarwch a blasu ei athrylith am flynyddoedd. Byddwn yn galw i'w weld yn gyson ar fy ffordd adref o'r feddygfa ym Metws Gwerful Goch, ac yn aml byddai Sybil yn dyfalu lle roeddwn mor hir yn dychwelyd adref. Byddai seiat gyda Tecwyn yn well nag unrhyw donig. Gofynnodd i mi un tro a oedd gennyf gopi o lyfr Griffith John

Williams, *Hanes Plwyf Ffestiniog*. Ar ôl imi ateb yn gadarnhaol, mynnai wybod a oedd gennyf y mapiau oedd i'w ganlyn. Pan ddywedais nad oeddent gennyf, estynnodd rai i mi'n anrheg ac mae'r rhain bellach ymhlith fy nhrysorau. Dr Tecwyn Lloyd a'm harweiniodd i ddechrau ymhél ag ysgrifennu. Un noson dywedodd ei fod yn dymuno i mi ysgrifennu adolygiad o gyfrol y diweddar Dr Eurfyl Jones ar Carl Jung yng nghyfres 'Y Meddwl Modern'. Anfonwyd yr adolygiad i'w gyhoeddi yn *Taliesin* dan y teitl a awgrymwyd gan Tecwyn, sef 'Llef o'r Dyfnderoedd'. Wrth ddarllen y gyfrol hon, dichon eich bod yn gresynu ei fod wedi fy symbylu i ysgrifennu! Dechreuais fynychu'r archifdai a chael croeso a charedigrwydd di-ben-draw. Mae fy nyled yn fawr i'r staff yng Nghaernarfon, Meirionnydd a Môn – yn arbennig felly i Merfyn Tomos, Janet Simcox, Gwen Hough a Steffan ab Owain. Maent bellach ymhlith fy nghyfeillion gwerthfawr.

Un arall a ddaeth yn gyfaill agos oedd y Dr Emyr Wyn Jones. Un diwrnod cefais y fraint o'i dywys o amgylch yr ardal. Ar ôl ymweld â Bryn Du, cartref gwreiddiol Thomas Jones, aethom i Gerrigellcwm lle cawsom sgwrs gyda'i feibion Hywel ac Einion Jones. Roedd gan Dr Emyr ddiddordeb arbennig yn Dafydd Cadwaladr, tad Betsi Cadwaladr, arwres y Crimea. Pan ddeuthum i'r ardal roedd aelodau o'r teulu yn parhau i fyw yma – un ohonynt oedd William Cadwaladr, y clochydd. Arferai ef a'r Parch Thomas Jones, ficer Maerdy, farchogaeth sgwteri a byddent yn rasio ar hyd ffordd Caergybi. Un diwrnod, a William ar y blaen, gwaeddodd dros ei ysgwydd, 'Fi sy'n mynd i ennill heddiw, myn d...l!' Ganwyd Dafydd Cadwaladr yn Erw Dinmael, Cwm Penanner, ac mae lle i gredu na dderbyniodd ei sylw haeddiannol. Pan oedd yn byw yn y Bala teithiai ar hyd a lled y wlad i bregethu, ond pallodd ei iechyd dan bwn y diciâu a threuliodd ei ddyddiau olaf yn Llangwm. Adroddir amdano'n ymlusgo o'i wely i bregethu prin wythnos cyn ei farwolaeth. Roedd teulu Cadwaladr yn niferus yn ardal Penllyn ac ymfudodd nifer ohonynt i America gyda William Penn yn 1669. Un ohonynt oedd John Cadwaladr, tad Thomas Cadwaladr, ffisigwr enwog yn Philadelphia. Roedd Thomas yn gyfaill i Benjamin Franklin a chyhoeddodd ddwy erthygl feddygol bwysig. Y gyntaf oedd, 'An Essay on the India Dry Gripes', sef colig oherwydd gwenwyniad plwm am fod rỳm yn cael ei botelu ar ôl ei redeg drwy bibellau plwm. Ei gampwaith oedd disgrifiad clasurol o *osteomalacia*, sef clefyd yr esgyrn meddal. Ymwelodd Dr Emyr a minnau â fferm oedd ger Bronafallen, sef Glan-gors, cartref yr enwog Jac. Gwelsom yno'r guddfan ar ben uchaf y grisiau lle byddai Jac yn llechu pan ddeuai'r awdurdodau i'w gymryd i'r ddalfa am ei ddaliadau radicalaidd.

Cawsom groeso ym Mherthi Llwydion, cartref Edward Morris, y bardd a'r porthmon. Yna ymweld â'r Giler a Phlasiolyn, cartrefi'r Prysiaid. Y mwyaf adnabyddus ohonynt oedd Elis Prys, y Doctor Coch, a'i fab, Capten Tomos Prys, y bardd a'r môr-leidr. Daeth diwedd y daith yn Ysbyty Ifan. Ar ôl bod o amgylch yr eglwys cafwyd saib yn y fynwent i weld bedd Sion

Dafydd Berson gyda dau englyn gan Twm o'r Nant ar y beddfaen. Yno hefyd y gorwedd brawd a merch 'Merch Gwernhywel'. Mae'r elusendai a adeiladwyd gan Thomas Vaughan, Pantglas, bellach wedi'u gwerthu. Ond erys cofeb ar fur un ohonynt. Claddwyd Thomas Vaughan yn Llundain, lle roedd yn un o farchogion tlawd Windsor. Collodd ei olwg yn y Rhyfel Cartref ac ar ochr yr organ yng Nghapel Siôr IV mae plac pres er cof amdano.

Dysgais lawer am hanes meddygaeth yng nghwmni Dr Emyr Wyn Jones. Mae ein dyled yn fawr iddo ef ac i'r diweddar Dr Glyn Penrhyn Jones am dynnu sylw at hanes clefydau yng Nghymru dros y canrifoedd. Un tro euthum i wrando ar Dr Emyr Wyn yn darlithio i'r Gymdeithas Feddygol, a'i destun oedd 'Dryllio Delwau'. Cynnwys ei ddarlith oedd hanes merched Cymru yn llwyddo i ennill graddau meddygol yn wyneb pob anhawster. Ymhen dau neu dri mis euthum i Lansannan lle roedd yn darlithio i Gymdeithas Hanes Sir Ddinbych, a'r testun oedd 'Muriau Jericho'. Gynted ag yr euthum drwy ddrws y ddarlithfa meddai Dr Emyr, 'Dos adref, rwyt wedi'i chlywed' – yr un oedd y ddarlith, y teitl oedd wedi newid! Byddai wrth ei fodd yn pori yn fy llyfrgell.

Cefais innau ddiwrnod arbennig yn cael fy nhywys o amgylch mannau nodedig yn Llŷn. Cawsom ymweld â bedd meddyg o oes y Rhufeiniaid yn un o fynwentydd y fro. Yna hefyd aethom i ymweld â chartref R S Thomas. Yng nghanol ei brysurdeb yn yr Eisteddfod Genedlaethol roedd gan Dr Emyr air caredig bob amser.

Un o'r pleserau mwyaf a gefais oedd bod yn aelod o Glwb yr Efail yn Llanrwst. Roedd tri milfeddyg yn aelodau: W O Jones, Betws-y-coed, R Roberts a Ceiriog Jones. Roedd Ceiriog a minnau'n gyd-fyfyrwyr yn Lerpwl. Cefais addysg yn yr Efail gystal ag unrhyw brifysgol. Ymhlith yr aelodau roedd Gwilym Roberts, Trefriw, athro Lladin; y cerddor Arthur Vaughan Williams; Robert Jones, prifathro'r ysgol uwchradd; G O Jones, athro Cymraeg yn yr ysgol ramadeg; Alun Lewis, oedd yn athro yn yr un ysgol; Y Parch Idwal Jones, awdur *Gari Tryfan*; Y Parch W E Thomas, tad yr Arglwydd Elis-Thomas; R E Jones, ac Arthur O Morris, a oedd wedi ymddeol fel prifathro Ysgol y Moelwyn ym Mlaenau Ffestiniog. Pan oeddwn yn ysgol Ffestiniog ef oedd f'athro Lladin. Mae fy nyled yn fawr iddo, oherwydd roeddwn wedi dewis peidio ag astudio Cymraeg. Y drefn yn yr Efail oedd fod pob aelod yn agor cyfarfod yn ei dro drwy siarad ar unrhyw bwnc am ddeng munud.

Cofiaf y Parch Idwal Jones yn trafod y testun "Canu nis gallaf" a hawdd y medrem ddeall hynny! "Y Gof Aur" oedd fy nhestun i, sef dilyn gwaith y gof fel proffesiwn. Nosweithiau difyr eithriadol oedd y rhain ac wedi pob cyflwyniad roedd yna hen gwestiynu a thrafod y pynciau. Roedd Clwb yr Efail yn troi'n seiat brofiad yn aml a byddai'r trafod a'r gwyntyllu yn mynd ymlaen am oriau.

Sioeau,
Wil a Jac Trwyn Ci

Roedd bri ar y sioeau amaethyddol bach yn yr ardal. Cynhelid un bob blwyddyn yn Ysbyty Ifan a Betws Gwerful Goch. Aeth un cymeriad o Nebo â dau oen blwydd i gystadlu yn sioe Ysbyty, ac ar ôl gosod yr ŵyn mewn hanner cylch a'u harchwilio dyma'r beirniad yn galw'r tri gorau ymlaen ond nid oedd yr un o'r ddau o Nebo. Trodd un o'r gwylwyr at yr hen gyfaill a gofyn, 'Pwy ydi'r beirniad, deudwch?' Atebodd yntau, 'Wn i ddim wir, dwi'n meddwl mai rhyw ddentist o Borthmadog ydi o.'

Rhai blynyddoedd yn ddiweddarach cefais fy ngalw at yr hen gyfaill gan gymydog iddo oedd yn pryderu nad oedd wedi'i weld ers deuddydd. Roedd yn byw ar ei ben ei hun mewn tŷ siambr. Bu raid i ni dorri'r clo i gael mynediad. Yn yr ystafell wely roedd yn gorwedd yn anymwybodol, a'i goesau allan rhwng y gwely a'r mur. Roedd ei amgylchiadau'n gyntefig. Nid oedd matres ar y gwely, dim ond blanced yn gorchuddio'r sbringiau. Trefnais i'r cymydog a minnau sefyll ar y sbringiau, un wrth y pen a'r llall wrth y traed. Gan gydio yn ei ysgwyddau a'r cymydog yn gafael yn y traed trefnwyd i gyfri tri a'i godi i'r gwely. Roedd y sbringiau wedi rhydu ac wedi braenu ac wrth godi'r claf aeth fy nhraed drwy'r gwely, ac roeddwn yn sefyll â'm traed ar y llawr i fyny at fy mhengliniau yn y sbringiau. Er bod yr achlysur yn drist oherwydd bu farw'r claf yn yr ysbyty ymhen ychydig ddiwrnodau, roedd yr olwg ar wyneb ei gymydog yn edrych arnaf yn fythgofiadwy.

Yn un o'r tai teras ar ffordd Nebo o Bentrefoelas trigai Wil, hen lanc a oedd yn bur hoff o'r ddiod gadarn. Arferai dreulio'i amser yn y Voelas Arms, ac un prynhawn Sadwrn ar ôl amser cau roedd yn ymlwybro tuag adref. Roedd llwybr yn arwain o'r dafarn i ffordd Nebo tu cefn i dai'r pentref ac roedd afon fechan gerllaw. Ar y pryd roedd y cigydd yn ei ardd a gwelodd yr hen lanc yn mynd heibio ar ei ffordd adref, ond yn sydyn diflannodd o'r golwg. Rhuthrodd y cigydd i waelod yr ardd yn llwyr gredu ei fod wedi syrthio i'r afon. Ond yr hyn a welodd oedd yr hen bererin yn penlinio ar y llwybr ac yn gweddïo am faddeuant am ei oferedd. Gyda threigliad amser dirywiodd ei iechyd a bu'n gaeth i'w wely am beth amser. Pan fyddwn yn ymweld ag ef, byddai dwy botel o Guinness ar y cwpwrdd wrth y gwely'n anrheg i mi. Roedd Dr Ifor yn llwyrymwrthodwr ac os digwyddai ef alw i'w weld byddai cryn gynnwrf wrth i Wil geisio stwffio'r poteli i mewn i'r cwpwrdd ger y gwely.

Mae yn fy meddiant dâp o'r cymeriad ffraeth John Davies, Minffordd, Cerrigydrudion yn cofnodi ei hanesion. Sonia amdano'i hun yn sefydlu busnes gwerthu newyddiaduron yng Ngherrigydrudion.

Arferai cwmni W H Smith yng Nghaer anfon cyflenwad gyda'r trên i Gorwen ac yna ar y bws i Gerrigydrudion. Roedd yn berchen ar hiwmor iach ac un o'i straeon oedd hanes nifer o fechgyn yr ardal yn mynd i nofio yn Llyn Caereini, ger Sarnau ym Mhenllyn. Ni allai un llanc nofio, felly penderfynwyd ei hyfforddi. Pwrcaswyd dwy bledren mochyn, eu chwyddo a'u rhwymo am ei fferau, ac yna ei wthio i'r llyn. Syrthiodd yntau ar ei wyneb ac yn fuan yr olygfa oedd dwy droed yn arnofio ar wyneb y dŵr a'r gweddill wedi diflannu dan y don. Felly bu rhuthro gwyllt i'w dynnu i'r lan.

Yn ôl hanesyn arall roedd Lewis Edwards, Hiraethog, wedi cael si fod y cipar afon am ei waed am botsio ac fe fu iddo ffoi i Gyffylliog at berthynas. Meddai'r cipar ar y ffugenw disgrifiadol Jac Trwyn Ci!

Roedd gan ambell gymeriad ddull gwreiddiol o ddweud pethau. Aeth mab un ohonynt i'r ysbyty yn Wrecsam i gael llawdriniaeth i dynnu darn o'i stumog oherwydd briw yn y dwodenwm, ac ar ôl iddo ddod adref aeth cymydog i holi amdano. Ar ôl cnocio ar y drws daeth y tad i'w gyfarch. Meddai'r cymydog, 'Wedi dod i weld sut mae John.' Atebodd y tad, 'Mi ddeuda i yn union wrthoch chi sut mae o. Mae'i hanner o yn y gwely i fyny'r grisiau ac mae'r hanner arall yn Wrecsam. Maent wedi'i yrru adref i'r ddau Cerrig 'ma edrych ar ei ôl, ac os bydd o yma mewn tri mis – *os* ddwedais i – os na fydd o yn y Llan neu Bryn-saint, mae o i fynd yn ôl i'r lladd-dy.' Y ddwy fynwent oedd y Llan a Bryn-saint ac mae disgrifio ysbyty fel lladd-dy yn ddisgrifiad gwreiddiol.

Roedd yr Henadur Bob Gwernhywel yn dynnwr

coes. Un prynhawn Gwener, a minnau ar gychwyn i feddygfa Ysbyty Ifan, gofynnodd Dr Ifor i mi alw gyda Bob i gael ceiliog at y Sul. Ar ôl sgwrsio am beth amser a minnau ar binnau eisiau mynd i'r feddygfa holais am y ceiliog. Aeth Bob â mi i'r buarth ac ar ôl dal ceiliog a'm hyfforddi sut i'w baratoi, rhoddodd ef mewn sach yng nghist y car. Ar ôl cyrraedd y feddygfa a pharcio'r car tu allan rhyddheais y ceiliog o'r sach. Yn ystod y sesiwn yn y feddygfa, er difyrrwch i'r cleifion, roeddynt yn clywed y ceiliog yn canu nerth ei ben. Ar ôl dychwelwyd i Fronafallen aeth i'w dranc yn dawel, ac ymhen awr roedd Stanley yn ei bluo a'i lanhau ar gyfer y popty.

Gan fod Bronafallen ar fin y briffordd, filltir a hanner o'r pentref, yn achlysurol byddem yn cael ymwelwyr pur anghyffredin. Un prynhawn Sul daeth gwraig fach mewn trallod mawr oherwydd bod ei chi bach yn wael a hithau ar ei ffordd i dreulio gwyliau yn Ynys Môn. Gan na wyddwn ddim am gŵn euthum â'r daeargi bach i'r Bala at Evan Davies y milfeddyg, oedd yn gyd-fyfyriwr â mi yn Lerpwl. Gwaetha'r modd, roedd calon y ci bach yn ddifrifol wael, felly nid oedd modd ei adfer. Yn y cyfamser roedd y wraig fach ym Mronafallen yn mwynhau cwpaned o de. Aeth ar ei siwrne yn drist ac yn mwytho'r ci.

Dro arall clywsom gnoc uchel ar y drws ac yn sefyll yno roedd clamp o Ianc. Meddai, 'I'm looking for a pint of beer.' Atebais y byddai croeso iddo gael potel o'r ffisig du licris a chlorodyn at yr annwyd.

Newidiadau mawr

Yn y cyfnod cynnar nid oedd llawer o driniaeth cemotherapi ar gael, dim ond llawdriniaeth a phelydr X. Yn aml, unig gyfraniad y meddyg oedd lleddfu poen, calonogi'r claf a sefyll ar yr ochr yn gwylio'r claf yn dirywio a marw. Roedd eu gwroldeb yn syfrdanol ac yn wers i rai ohonom oedd yn cwyno am fân anhwylderau.

Ond yn raddol ym mhedwardegau'r ganrif ddiwethaf daeth cemotherapi i drin canser yn fwy cyffredin pan ddarganfuwyd bod nwy gwenwynig mwstard nitrogen yn gallu lliniaru lewcemia. Cynhyrchwyd y nwy yn wreiddiol ar gyfer ei ddefnyddio yn erbyn gelyn yn y Rhyfel Byd Cyntaf. Bellach dyma'r brif driniaeth lwyddiannus i lawer o gleifion yn erbyn canser.

Ac eithrio trawsblannu cornbilen mewn achos o greithio cannwyll y llygad, nid oedd trawsblannu organnau newydd yn y corff tan ail hanner yr ugeinfed ganrif. Ni chyflawnwyd gosod cymal clun newydd tan 1969. Yn awr gellir adnewyddu pen-glin, yr arddwrn, yr ysgwydd ac ati – er budd mawr i lawer o bobl oedrannus sy'n dioddef arthritis. Cyn hynny roeddent yn ddibynnol ar boenleddfwyr, ac roedd eu gallu i ymlwybro yn gyfyngedig eithriadol.

Yna gwnaeth Doctor Christian Barnard wyrth drwy drawsblannu calon yn llwyddiannus yn Ne Affrica yn 1967. Rhoddodd hynny sbardun i lawdriniaeth y galon, yn arbennig pan ddyfeisiwyd peiriant calon-ysgyfaint i arallgyfeirio cylchrediad y gwaed fel y gellid treulio oriau mwy o amser ar y llawdriniaeth. Achos *angina* yw fod rhydweli'r galon yn culhau ac mae dau ddewis i'w thrin: un ai trawsblannu gwythïen o'r goes i arwyneb y galon neu ledu'r rhydweli â balŵn a gosod stent i'w chadw ar agor. Yn yr un cyfnod cynhyrchwyd toreth o gyffuriau at sawl clefyd. Felly cawsom fyw mewn cyfnod cyffrous iawn yn hanes meddygaeth. Gwelwyd newid ym mhatrwm clefydau hefyd. Ym mhumdegau'r ugeinfed ganrif bacteria oedd yn achosi'r rhan fwyaf o glefydau heintus, ond, yn rhannol oherwydd camddefnyddio gwrthfïotigau, mae firysau'n chwarae rhan gynyddol mewn achosi afiechyd.

Er mor ddifrifol yr achlysur yn aml, roedd codi calon y claf yn holl bwysig. Cofiaf fy nghyfaill Robert Jones, 'Bob Traian' yn mynd i Ysbyty Brenhinol Alecsandra, y Rhyl, i gael llawdriniaeth a minnau'n gyrru pwt o gywydd 'talcen slip' iddo i'w galonogi. Rwy'n cydnabod nad yw pob llinell yn gywir, ond fel hyn y daeth ar pryd:

Gwelaf sgrin ym min y môr
Lle unig i weld llenor,
O'i glyd wâl yn Uwchaled
Arfau llym oedd grym ei gred,

111

Y meddyg yn falm iddo,
Drwy arbed un chwithig dro.
Chwithau, Bob, ceisiwch weithian
Fwrw'r haint tra yn y fan.
Wedi'r drin ym min y môr
Daw llanw bywyd llenor,
Yna gwên dechrau gwanwyn
Yn addurn gwedd newydd ddyn,
Ni fydd poen na dihoeni,
A mwyn meddwl hyn i mi.
Oer yw'r hin ym min y môr
Ond yma hyfryd dymor.

Ymhen ychydig ddyddiau daeth ymateb i'r 'talcen slip'
o'r ysbyty. Rwy'n ymwybodol iawn fod nifer o wallau
yn hwn hefyd ond cofnodaf y gwaith fel y daeth i law:

Am feddyg gwell dois i wella,
Ifor Lewis yw'm dewis da;
Pe'r eisiau operasiwn
Rhoddaf f'hun yn rhwydd i hwn.
O! stumiau sy'n fy stumog
I wella fydd imi'n llog.
Cael *X-ray*'n y lle yn llu,
Neb i farw cyn fory.

O'r fintai minnau fentrais
Dan ei law a'i dyner lais,
Dydd Gwener fydd yn erwin
Erfyn mwy am arfau min,
Wele Sul ar ôl y sâl
A mi eto'n ymatal,
Bob Traian druan ei drêd
Ni chilia o Uwchaled.

Ofer fu ein disgwyliadau oherwydd ailgydiodd yr hen glefyd, ac yntau'n gofyn i mi ddiwrnod cyn Sioe Amaethyddol Uwchaled, 'Ceisiwch fy nghadw'n fyw dros yr amgylchiad.' Nid oedd am darfu ar fwynhad ei gyfeillion. Adnabûm Bob am amser rhy fyr ond cefais y pleser o brofi peth o'i athrylith fel llenor, bardd gwlad a darlithydd.

Un tro cafodd ei wahodd i fynd i Lundain i ddarlithio i Gymdeithas Gymraeg yn y ddinas. Aeth Dr Ifor gydag ef yn gwmpeini. Roedd ar y trên ystafell fwyta, felly, a hwythau wrth y bwrdd, daeth y weitar â bwydlen. Yna gofynnodd i Doctor Ifor, 'Are you ready to order, sir?' Atebodd yntau, 'Soup for a starter, please.' Yna trodd at Bob, 'And you, sir?' 'Same, please,' meddai yntau. Yna trodd at y doctor, 'And the main course?' Atebodd yntau, 'The roast beef, please.' Yna trodd at Bob, 'And you, sir?' 'Similar,' oedd yr ateb, 'iddo gael gwybod 'mod i'n rhugl yn yr iaith fain.' Gallai siarad yr iaith gystal â neb, ond dyna enghraifft o'i ddireidi. Byddai'n teithio ledled gogledd Cymru i ddarlithio, ond nid oedd yn gyrru car. Cefais yr anrhydedd o'i ddanfon i sawl lle. Un tro roedd yn darlithio i Gymdeithas Gymraeg Queensferry, ac ar y diwedd safai'r aelodau'n sypiau bychain i gael cwpaned o de. Yn y man clywais lais y tu cefn i mi, 'Faint sydd arnom i chi, Mr Jones?' Yna'r ateb yn y llais cyfarwydd, 'Arhoswch am funud, deg swllt ar hugain am y ddarlith a dwy bunt a chweugain am y tacsi!'

Talwyd teyrnged haeddiannol iddo mewn cyfres o englynion gan W D Williams, Abermaw, a gwelir un ohonynt ar ei feddfaen:

Anhunedd a lŷn heno – yn y cylch
  Lle mae cof amdano;
  Drwy Uwchaled er chwilio
  Nid byw gŵr o'i debyg o.

Mewn un arall mae'n crisialu natur Bob:

Gwerinwr hawddgar hynod, – llefarwr
  Llifeiriol mewn 'steddfod;
  Yn llys y glêr llaes ei glod,
  Yn berwi o ddawn barod.

A 'doniau parod' oedd gan lawer o drigolion y fro boed
wrth greu llinellau barddonol, yn trin cŵn defaid
neu'n codi llysiau gogyfer â sawl sioe. Pawb a'i ddileit
ei hun oedd hi.

Ar ôl inni fod yn byw yn y Moelwyn am ddeuddeng
mlynedd penderfynodd Dr Ifor a minnau gyfnewid tai.
Roedd ganddo ef angen ychydig o heddwch ac roedd y
cleifion yn galw'n aml a dwndwr y ffôn yn gyson ym
Mronafallen. A ninnau bellach yn deulu o bump,
cawsom fanteisio ar dŷ â chymeriad iddo. Roedd gardd
fawr a thŷ gwydr swmpus yno oherwydd roedd y
doctor yn hoff o arddio a thyfu llysiau a blodau, ac
roedd dwy winwydden yn y tŷ gwydr. Cafodd yr ardd
golled enfawr pan aeth y doctor-arddwr i fyw yn y
Moelwyn. Nid oedd gennyf unrhyw ddiddordeb mewn
garddio, er i Dr Ifor roi llyfr garddio hardd i mi'n
anrheg un Nadolig.

Er hynny, roedd gennyf ddiddordeb yn ymdrechion
amaethwyr y parthau hyn i gynhychu da byw o safon
uchel a thrwy ymdrechion glew, enillodd sawl un

ohonynt wobrau yn Sioe Amaethyddol Frenhinol Cymru. Roedd treialon cŵn defaid yn boblogaidd yn yr ardal a bu ambell dro trwstan a thynnu coes. Pan ddaeth un cystadleuydd yn un o'r sioeau lleol i geisio corlannu tair dafad cafodd drafferth, oherwydd roedd un o'i gyfeillion wedi ffeirio un o'r defaid am afr. Fel y cyfeiriais eisoes, daeth bachgen ifanc o Benyfed, Tŷ-nant, cartref y Bardd David Ellis a gollwyd yn Salonica yn y Rhyfel Cyntaf, ag anrhydedd unigryw i Uwchaled. Daeth Aled Owen yn Bencampwr y Byd yn 2004 a 2006.

Bugeiliaid y fro a chyfeillion

Roedd gweinidog olaf Capel y Bont, Rhydlydan, y Parch J T Williams, yn wreiddiol o'r Garreg, Llanfrothen, ac wedi'i gyd-fagu â fy nain. Roedd yn gymeriad diddorol, yn llawn hiwmor ac yn ddireidus. Clywais ei hanes yn ymweld â thafarn y Giler Arms, lle roedd gŵr y tŷ yn gaeth i'w wely ers misoedd. Ymhen ysbaid daeth i lawr y grisiau a gweld nifer o ffyddloniaid y dafarn yn eistedd o amgylch bwrdd, pawb â'i beint. Gofynnodd y dafarnwraig iddo a hoffai fynd i mewn at y dynion. Aeth yntau gan aros yn sgwrsio gyda hwy o hanner awr wedi un tan ugain munud wedi tri, a'r bar yn cau am hanner awr wedi tri. Deng munud cyn amser cau meddai, 'Wel, hogiau, mae'n rhaid i mi fynd yn awr.' Arhosodd tu allan i'r bar am ddau funud a'r hyn a glywodd oedd un ohonynt yn dweud, 'Beth oeddet ti'n hel y diawl yna yma, dywed?' Roedd pawb yn rhy swil i yfed eu cwrw, ac roedd y gweinidog wedi cael digon o fodd i fyw! Talwyd y pwyth yn ôl iddo yn y man. Arferai'r gweinidog fynd i gael llefrith o fferm gyfagos ac un tro, ac eira ar y ddaear, aeth â'i biser yno fel arfer. Ar ôl cyrraedd adref aeth i roi'r llefrith mewn jwg. Ond y fath dric, roedd y piser yn llawn o ddŵr. Yn ei wythdegau aeth i fyw i Gartref Bron-y-graig, y Bala. Un bore Sul roedd yn pregethu yng Nghapel Tegid ac, ar derfyn yr oedfa, wrth gyd-gerdded allan ag un o'r blaenoriaid gofynnodd iddo, 'Sut aeth hi bore 'ma?' Atebodd yntau, 'Ardderchog, Mr Williams, ar wahân i un peth, fe roesoch yr un emyn ag a ledwyd ar y dechrau ar ôl gweddïo.' Heb flewyn ar dafod daeth yr ymateb, 'Nid oeddech wedi'i ganu'n ddigon da y tro cyntaf!'

Roedd yn Uwchaled weinidog arall â'r llythrennau J T yn ei enw, sef y Parch J T Roberts, un o gewri'r fro. Wedi'i fagu yn Gellïoedd, dewisodd dreulio'i oes yn gwasanaethu'i gynefin. Roedd ganddo feddwl mawr ac enaid mwy. Gwnaeth i mi gochi un tro. Roedd ganddo ddiddordeb mewn gwyddoniaeth, ac un Sul roedd yn pregethu ar y testun etifeddiaeth a genynnau. Ar ganol ei bregeth, wedi gwneud sylw treiddgar edrychodd arnaf a dweud, 'Mae hynny'n gywir onid yw, Dr Edward?' Trodd pawb i edrych a minnau'n gobeithio y byddai'r ddaear yn fy llyncu! Roedd yn athrylith a gallai fod wedi derbyn galwad i un o brif demlau'r Methodistiaid. Meddai ar rinwedd unigryw na allai weld bai ar y gwaethaf o ddynion. Coffa da amdano'n cyflogi un o gymeriadau'r fro, a adwaenid fel Wil Wil, i dwtio'i ardd yn yr hydref. Gwyddai Mr Roberts yn dda am ei hoffter o gwrw Gwesty'r Frenhines yn y Llan a phan ddaeth yn amser setlo am ei lafur, cafodd weledigaeth. Yn hytrach na rhoi arian i Wil, rhoddodd gôt gynnes iddo ar gyfer y gaeaf. Ychydig wythnosau'n ddiweddarach digwyddodd siarad ag un o'i aelodau yn y pentref a gofynnodd hwnnw, 'A ydych yn cofio rhoi côt i Wil Wil?' Atebodd yntau, 'Ydwyf,' ac meddai'r aelod, 'Mae o wedi'i gwerthu am arian.' Byddai'r mwyafrif ohonom yn flin iawn, ond ymateb Mr Roberts oedd, 'Chwarae teg i Wil Wil, *business man* da, onide.' Dyna enghraifft deg o'i ddyngarwch.

Roedd siop fferyllydd yng Ngherrigydrudion pan ddeuthum i'r ardal a gedwid gan Emrys White Davies, y bonheddwr mwynaf i mi ei adnabod. Dibynnai ei fusnes i raddau helaeth ar werthu cyffuriau a brechlynnau i amaethwyr oherwydd gwaharddai rheolau'r Gwasanaeth Iechyd i fferyllydd ragnodi cyffuriau i gleifion tu hwnt i gylch milltir o'r fferyllfa. Yn y cyfnod hwn dechreuodd y cwmnïau cyffuriau werthu eu nwyddau'n uniongyrchol i'r ffermwyr yn rhatach, ac felly tanseilio busnes lleol. Roedd Emrys White Davies yn un o'r cymeriadau addfwynaf i mi ei gael yn gyfaill. Mae gennyf atgofion melys iawn am ei gwmni, ac roedd y ddau ohonom yn ddibriod bryd hynny. Arferem fynd ar dripiau yn ei Forris 8 *coupé* ar ein hanner diwrnod rhydd. Er mai ef oedd y fferyllydd olaf yn yr ardal, nid ef oedd y cyntaf. Ddwy genhedlaeth yn gynharach cadwai Elias Williams siop fferyllydd yn y Llan. Ef oedd tad Syr John Cecil-Williams, Ysgrifennydd Cymdeithas y Cymmrodorion. Coffa da am Syr John yn trefnu cyfarfod o'r gymdeithas yng nghapel Jerwsalem, Cerrigydrudion, gyda darlith gan Dr R Alun Roberts, Prifysgol Bangor, ar

'Amaethu yng Nghymru'r Ddeunawfed Ganrif'. Erys un hanesyn ganddo yn y cof am lanc oedd yn dilyn y wedd yn Llanbryn-mair yn ymfudo i America. Ar y pryd roedd preswylwyr arfordir yr Unol Daleithiau wedi torri drwodd i wastadeddau ffrwythlon Mississippi, ac aeth y llanc i aredig yno. Pan gododd ei ben roedd yn dywyll – roedd wedi torri'r un gŵys drwy'r dydd! Onid oedd wedi arfer torri cwysi yng nghaeau bychain Llanbryn-mair, pan arhosai'r ceffyl wedi cyrraedd y terfyn? Felly'r unig ateb oedd dadfachu'r wedd a chysgu rhwng cyrn yr aradr a dychwelyd fore trannoeth.

Bûm yn ffodus o fy mhobl yn y practis. Roeddent yn gyfeillgar, yn ffyddlon, yn groesawgar ac yn gynnes eu cyfeillgarwch. Nid wyf yn cofio i mi gael un gair croes gydag un ohonynt.

Mae gennyf acen Gymraeg gref ac rwyf yn ymffrostio ynddi. Pan oeddwn yn fyfyriwr cefais fy nghyfarch fwy nag unwaith gan gyfeillion Saesneg fel, 'the foreign gentleman in the corner'. O leiaf roeddynt yn fy ngalw'n fonheddwr! Bron yn ddieithriad pan siaradwn ar y ffôn byddai fy nghleifion yn adnabod fy llais. Yn achlysurol, er difyrrwch, byddwn yn eu cyfarch gyda, 'Tŷ Golchi Tsieineaidd Cerrigydrudion sydd yma,' a'r ymateb oedd, 'Sut ydych chi, Doctor Eddie?' Aeth ein cyfeillion Dr Tom Davies, Dr Rosina Davies, Sybil a minnau ar wyliau i Gyprus. Ar ôl cyrraedd y gwesty aethom i fyny yn y lifft oedd yn llawn. Hanner ffordd i fyny, dyma lais o'r cefn, 'That's Dr Davies, Cerrig. I would know that voice anywhere.' Dro arall, a Sybil a minnau'n cerdded ar lan y môr yn

Paphos, daeth dwy wraig i'n cyfarfod. Meddai un, 'Hoffwn gael gair gyda chi, Dr Davies. Rwyf wedi gadael fy nhabledi pwysedd gwaed uchel gartref, beth a wnaf?' Roeddynt wedi bod ar wyliau ers wythnos ac yn dychwelyd adref ymhen tridiau. Felly'r unig gyngor ddaeth i'm meddwl oedd iddi ymlacio a chymryd y tabledi wedi dychwelyd adref. Mae'n burion nad wyf yn gwneud galwadau ffôn anweddus neu byddwn yn y ddalfa ers tro!

Rhoi pen ar y mwdwl

Wrth geisio rhoi pen ar y mwdwl gobeithiaf nad oes unrhyw beth yn fy sylwadau wedi peri poen i un o'm cyfeillion. Ceisiais roi darlun byr o fywyd meddyg cefn gwlad, yr hiwmor a'r tristwch.

Bûm yn ffodus dros y blynyddoedd o gael cydweithio â dau bartner gyda'r goreuon. Yn feddyg ifanc deuthum dan ddylanwad Dr Ifor Davies a dysgais lawer ganddo am yr ardal a'r cleifion.

Roedd Dr Ifor Davies yn ymroddedig i geisio gwella cyfleusterau'r ardal. Roedd yn aelod o sawl cyngor a phwyllgor, yn cynnwys Cyngor Hiraethog, Cyngor Sir Ddinbych a'r cyngor plwyf. Gwasanaethai hefyd ar Fwrdd Ysbytai Clwyd a Glannau Dyfrdwy. Ef oedd ysgrifennydd Pwyllgor Meddygol Lleol Sir Ddinbych a Sir y Fflint. Nid oedd unrhyw agwedd o fywyd cymdeithasol nad oedd ei fys yn y pwdin. Cefais esiampl ddiguro ganddo a'm hysgogodd i geisio cyfrannu ychydig i'r gymuned yn gymdeithasol. Roedd yn hawdd gwneud hynny yn awyrgylch gefnogol Uwchaled.

Ar ôl bod mewn partneriaeth â mi am ddeunaw

mlynedd penderfynodd Dr Ifor ymddeol; daeth Dr Geraint Owen o Lanconwy i'r bartneriaeth a buom yn cydweithio'n hapus am ugain mlynedd. Meddai Dr Owen ar hiwmor iach ac roedd yn feddyg craff. Roedd yn saethwr colomennod clai dihafal. Mae'n syndod na fyddai wedi cael ei demtio i fy saethu i ambell dro! Roedd mwy na phartneriaeth yn fy mherthynas i â Dr Ifor, roeddem yn gyfeillion agos hefyd. Mae'r berthynas yn parhau gyda Hugh ac Anne, mab a merch Dr Ifor.

Dwy flynedd ar ôl i mi ddod i'r ardal, cefais wahoddiad i gynnal dosbarth WEA yn y pentref, drwy law Mrs Claudia Davies, ac am ddwy flynedd ceisiais drafod 'Iechyd y Byd'. Wedi hynny bûm yn cynnal dosbarthiadau am ddwy flynedd yn Llanfihangel Glyn Myfyr. Rwyf yn trysori'r *Bywgraffiadur Cymreig hyd 1940* a gefais yn anrheg gan y dosbarth. Yn y cyfamser deuthum yn aelod o bwyllgor Gogledd Cymru'r WEA. Ar ôl tair neu bedair blynedd gwelais un agwedd drist ar fywyd cyhoeddus. Dywedodd y cadeirydd, Alun Llywelyn-Williams, wrthyf fod un o Gynghorwyr Gwynedd yn awyddus i fod yn aelod o'r pwyllgor. Felly, heb bryderu llawer, ymddiswyddais er mwyn iddo gael ei ddymuniad. Pwyllgora yw opiwm ambell gynghorwr ond yn f'ardal i dynion oeddent â'u bryd ar wella adnoddau eu milltir sgwâr. Yn aelodau o'r Cyngor Sir yr oedd dynion megis Glyn Hughes, Pentrefoelas; Dafydd Jones, Llanfihangel; Emyr Roberts, Dinmael a Dr Ifor. Profais yr un triciau plentynnaidd yn union flynyddoedd yn ddiweddarach pan oeddwn yn cynrychioli Ambiwlans Sant Ioan ar Gyngor

Gwasanaethau Gwirfoddol Clwyd. Bûm yn aelod o Gyngor Iechyd Cymuned Gorllewin Clwyd am rai blynyddoedd. Ymhen amser derbyniais lythyr yn fy hysbysu o'r bwriad fy mod i a chynrychiolydd y Groes Goch yn rhannu aelodaeth bob yn ail flwyddyn, trefniant hollol ddiwerth. Y rheswm oedd fod un o'r Cynghorwyr Sir yn awyddus i fod yn aelod. Ymddiswyddais i wneud lle i'm gwell! F'unig siom oedd fy mod ar y pryd yn cadeirio Pwyllgor yr Ysbytai Cymuned ac yn mwynhau'r gwaith.

Ymddeolodd Dr Ifor o gadeiryddiaeth Rheolwyr Ysgol Tynyfelin, wedi rhoddi blynyddoedd o wasanaeth, a chefais y fraint o'i olynu. Roeddem yn ffodus o gefnogaeth yr athrawesau, Myfanwy Davies a Buddug Ellis. Mewn gwirionedd gallent fod wedi ymdopi heb reolwyr! Gwaetha'r modd, fel mewn llawer ysgol wledig arall, mynd yn llai oedd hanes nifer y disgyblion ac yn 1994 caewyd ysgolion Tynyfelin a Llanfihangel Glyn Myfyr.

Er fy mod yn edmygu gwasanaethau'r Eglwys bûm yn Fethodist ar hyd f'oes. Rwyf yn aelod yng Nghapel Cefn-brith ers dros hanner canrif ac yn flaenor er 1972. Cawsom adroddiad ar y capel yn 1989 a barodd bryder i ni. Y canlyniad oedd penderfynu tynnu'r festri i lawr a bu'r aelodau'n weithgar dan oruchwyliaeth Gerallt Thomas, Tynygraig. Wedi cau am rai misoedd, fe'i hailagorwyd ym mis Mai 1990. Felly dyma geisio cyfarch:

Adeilad i'n cyndadau – a fu'n dŵr,
    fu'n darian i ninnau;
    Hen sŵn cas ei ddrws yn cau
    A'n heriodd at ein gorau.

Rali odiaeth yr aelodau, – llafur
    fu'n llifo i'w ddorau,
    Ynni brwd drodd gapel brau
    Yn lle euraidd allorau.

Gynt yr roedd yn ei gyntedd – werinwyr
    yn raenus eu delwedd,
    Dan ei sang, pob dyn a'i sedd
    Yn felys mewn gorfoledd.

Onid cu adeilad cain – a godwyd
    yn gadarn a mirain?
    Clod y sêl fydd clywed sain
    Un o'n harwyr yn arwain.

Gwyddoch fyrdwn ein gweddi – ewyllys
    i allu addoli,
    Heddiw mae Duw'n cyhoeddi,
    Rhydd ei nawdd yn rhodd i ni.

Rydym fel un teulu yno, ac mae'n syndod fod y ddwy organyddes, Myfanwy Davies a Helen Ellis, yn siarad gyda mi. A minnau'n hollol dwp parthed cerddoriaeth, rwyf yn tynnu coes ac yn dweud wrth un nad oedd angen 'fortissimo' ym mhennill cyntaf yr emyn cyntaf ac wrth y llall fod trydydd pennill y trydydd emyn braidd yn fflat. Rydym yn gyfeillion mynwesol.

Ddeng mlynedd yn ôl bellach euthum i weld fy nghyfaill Eifion Roberts, Tyddyn, yn Ysbyty Cymuned Rhuthun. Roedd ei oes yn dirwyn i ben a gofynnodd i mi gymryd cyfrifoldeb am ddwy elusen ym mhlwyf Cerrigydrudion. Sefydlwyd Elusen Tŷ Du yn 1700 i roi cymorth i'r tlodion. Bellach defnyddir yr arian i roi anrheg fach i bensiynwyr a gwragedd gweddw ddwywaith y flwyddyn. Sefydlwyd yr ail elusen, sef Elusen Addysgol Cerrigydrudion, ym mhedwardegau'r ugeinfed ganrif gydag arian oedd wedi'i gyfrannu'n wreiddiol i ddarparu ysgol i ferched yn y plwyf. Mae'r elusen hon yn rhoi grantiau i bobl ifainc sydd wedi derbyn eu haddysg gynradd yn y plwyf pan ânt i ddilyn cyrsiau mewn colegau. Treuliodd Eifion Roberts ei oes yn gwasanaethu'r ardal, fel ysgrifennydd y Cyngor Cymuned, yr elusennau a sawl pwyllgor arall. Roedd yn hanesydd lleol heb ei hafal. Ysgrifennodd hanes Ysgol Tynyfelin ar ei chanmlwyddiant a chyfrol swmpus o hanes Cefn-brith a Glasfryn dan y teitl *Yn Llygad yr Haul*.

Mae yn yr Apocryffa, yn Llyfr Ecclesiasticus, yr adnodau canlynol: 'Anrhydedda'r meddyg ag anrhydedd dyledus iddo, am fod yn rhaid wrtho ef; oblegid yr Arglwydd a'i creodd ef . . . Gwybodaeth y meddyg ddyrchafa ei ben ef; ac yng ngŵydd gwŷr mawr y perchir ef.' (Ecclesiasticus, pennod 38, adnodau 1 a 3) Yn fuan wedi imi gartrefu yn yr ardal sylweddolais wirionedd y geiriau hyn am y tair cenhedlaeth o feddygon Uwchaled a'm rhagflaenodd. Cefais brawf pellach un bore pan ddaeth Mary Jones â'i gwynt yn ei dwrn i'r feddygfa a dweud, 'Mae'r gŵr mewn dirfawr boen, doctor bach.' 'Wel,' meddwn innau, 'dof gyda chi gynted ag y byddaf wedi gorffen yn y feddygfa.' Wedi imi gyrraedd y tyddyn cefais y claf yn ei wely â phoen yn ei gefn. A Mary Jones yn bryderus yn gwasgu ei dwylo wrth draed y gwely, gwnes yn fawr o'i archwilio. Pan oeddwn ar fin archwilio'i atgyrchau â'r mwrthwl bach, siaradodd y claf. 'Rwyf yn gwybod yn iawn beth wnes i, roeddwn yn y cae uchaf echdoe yn trwsio wal ac mi blygais i godi carreg . . .' Torrodd hithau ar ei draws, 'Rŵan rŵan, William, paid ti â mynd o flaen y doctor.' Y doctor oedd i ddweud achos y boen!

Dechreuodd y cyntaf o'r teulu, sef Dr John Davies, ymarfer yn ardal Cerrigydrudion yn chwedegau'r bedwaredd ganrif ar bymtheg. Mae gennyf dystiolaeth o'r parch oedd iddo ar dudalen o bapur bregus ac arni, 'Cydnabyddiaeth o ofal a medrusrwydd J Davies Esq. Surgeon, Bronafallen, Cerrigydrudion, am ei waith yn iacháu fy mraich – yr hon a larpiwyd gan ddannedd mileinig y chwalwr gwlân,' neu yn ôl iaith y wlad "cythraul y ffatri":

> Meddyg sy'n deall moddion, i dynnu
> Ôl dannedd ellyllon,
> Yw ein dewr Davies dirion
> Arwr y Sir yr oes hon.
>
> Mor ddyfal ei ofalon, o'i weled
> Siriolai fy nghalon,
> Ef a'i allu, gyfeillion,
> Wnâi roi iachâd i'r fraich hon.

Pa feddyg tebyg, tybed, pwy arall
O'm perygl wnâi f'arbed?
Ei foli rwyf, a'i fawl red
Tra dŵr yn troedio i waered.

Dilynwyd Dr John gan ei fab, Dr Hugh Hughes
Davies, ac roedd ganddo ef enw arbennig am drin
niwmonia. Clywais sawl un o hynafiaid y fro'n dweud
na fyddai byth yn colli achos niwmonia, os câi ef mewn
pryd. Cyrhaeddodd y teulu ei benllanw pan ddaeth
meddyg y drydedd genhedlaeth, Dr Ifor Hughes
Davies, i wasanaethu yn ei gynefin. Ar ei ymddeoliad
cynhaliwyd cyngerdd i'w anrhegu a chafwyd teyrnged
gan nifer o feirdd y fro:

Doctor Ifor a gyfyd – ag angerdd
        Ei gyngor a'i ysbryd;
    At Doctor Ifor hefyd
    Awn i gael ein mendio i gyd.

Pennaeth fu'n lleddfu poenau – yn ddiwyd
        Ddewin lle bo eisiau,
    Llorio clwyf, chwistrellwr clau,
    Mwyn arwr y mân oriau.

Er bod cywair ysgafnach yn englyn Huw Selwyn
Owen, mae'n deyrnged i allu'r meddyg:

Trist fu gwedd torrwr beddau, – nid siriol
        Fu byd seiri weithiau;
    Heriaist ar dywyll oriau
    Ben gelyn hen briddyn brau.

Daliais innau ar y cyfle i geisio rhoi teyrnged fy hun:

Uwchaled sy'n ddyledus – i ŵr da
A gair doeth ei wefus;
Gwella cur y dolurus
Yn was brwd ar achos brys.

Ar achos brys dyrys daeth,
Arnodwyd ei feirniadaeth;
A'i osgo'n difa llesgedd,
Da i gŵyn gael newid gwedd;
Ei ddwy law arbedodd lu
Heddiw i'w anrhydeddu;
Un medrus medd ymadrodd
A moli rhin ei aml rodd.

Cafodd Dr Ifor ei anrhydeddu â Doethuriaeth gan
Brifysgol Cymru Aberystwyth am ei gyfraniad i'w
gymdeithas, a derbyniodd yr OBE am ei wasanaeth
cyhoeddus.

Dros y blynyddoedd parai lleoliad Bronafallen
bryder i ni oherwydd ei fod ar fin y briffordd ac o
gyfeiriad Betws-y-coed roedd y ffordd yn pantio ar ei
gyfer. Y canlyniad oedd nifer o ddamweiniau ger y tŷ.
Dros y blynyddoedd lladdwyd dau o'r cleifion ar ôl
iddynt ymweld â'r feddygfa. Cafodd fy merch, Ceri, ei
tharo gan gar wrth iddi groesi'r ffordd ond drwy
drugaredd ni chafodd ei hanafu'n dost. Cafodd Dr Ifor
a minnau ddamweiniau wrth droi i mewn i'r buarth.
Un tro, a hithau'n nosi, digwyddodd damwain ar y
briffordd wrth ochr y tŷ. Aeth dau gar benben â'i gilydd
ac ymddangosai fod pedwar wedi'u hanafu, tri â mân

glwyfau a'r pedwerydd yn cwyno am boen enbyd yn y forddwyd. Felly, oherwydd y posibilrwydd o dorasgwrn ffemwr gosodwyd ef ar yr unig stretsier oedd gennym. Fel roeddem yn cau drws yr ambiwlans i fynd i'r ysbyty, dyma lais bach ar ochr arall i'r ffordd yn dweud, 'What about me?' Nid oeddem wedi gweld y claf hwn yn y tywyllwch. Druan ohono, roedd wedi anafu ei goes, gyda thorasgwrn agored, cymhleth. Ar ôl ei drin paratowyd i'w roi yn yr ambiwlans gyda'r pedwar oedd ynddo eisoes. Roedd ganddo fag bach lledr yn ei law a gofynnodd i mi a fuaswn yn ei gadw nes y deuai i'w nôl. Aeth dau fis heibio ac roeddwn yn dechrau pryderu ynghylch cynnwys y bag gan feddwl, 'Tybed a oes rhywbeth anghyfreithlon ynddo?' Felly agorais ef, ac er mawr syndod gwelais ei fod yn llawn o luniau anweddus o ferch ifanc. Ymhen cryn amser daeth y claf i'r drws ar faglau i geisio'i fag!

Ymhen y rhawg penderfynodd Geraint a minnau adeiladu meddygfa ym mhentref Cerrigydrudion. Pan ymddeolais fe'i datblygwyd i fod yn Ganolfan Iechyd, gyda chyfleusterau i weinyddesau cymuned a chlinigau ffisiotherapi. Cefais yr anrhydedd o'i hagor yn swyddogol ar 1 Mawrth 2000.

Un o uchafbwyntiau fy ngyrfa oedd cael fy nerbyn yn Gymrodor er Anrhydedd ym Mhrifysgol Cymru Bangor. Roedd yn peri tristwch i mi nad oedd modd astudio meddygaeth yng ngogledd Cymru ac âi'r rhan fwyaf o'r gogledd yn fyfyrwyr i Brifysgol Lerpwl. Bellach, yn y blynyddoedd diwethaf hyn, sefydlwyd Ysgol Feddygol Glinigol yng ngogledd Cymru ac mae hyfforddiant drwy'r Gymraeg ar gael.

O blith llawer o bethau a ddysgais gan Dr Ifor, un oedd fod cyfle i feddyg gyfrannu mwy na gofal meddygol i'w gyd-ddyn. Roedd yn hawdd gwneud hynny yn awyrgylch gefnogol Uwchaled.

Pan ymddeolais cynhaliwyd cyngherddau i'm hanrhegu – neu efallai i ddathlu! Fel y dywedodd un o'm hen gyfeillion, a'i dafod yn ei foch, ychydig wythnosau wedi i mi ymddeol. 'Mae hi'n llawer gwell yn y syrjeri yna wedi i chi riteirio.' Gofynnais, 'Pam ydych chi'n dweud hynny?' Atebodd yntau, 'Roeddem ni yno drwy'r bore pan oeddech chi yno.' Llwyr gredaf fod treulio ychydig amser yn sgwrsio gyda'r claf yn aml yn gymorth i adnabod ei afiechyd. Gall mynegiant yr wyneb gyfleu llawer.

Mewn cyfnod lle nad oedd nifer o staff i gyn-orthwyo'r meddyg, roedd cefnogaeth gwraig dda'n amhrisiadwy. Bu doethineb Sybil a'i gallu i ddelio ag argyfyngau a'i dawn i gyfathrebu â phobl yn gymorth mawr i mi. Yr hyn a roddodd y pleser mwyaf i mi yng nghyngerdd f'ymddeoliad oedd teyrnged a dalodd fy nghyfaill, yr Henadur Emyr Roberts, Dinmael iddi:

ODE TO A DOCTOR'S WIFE

I think of those behind the scenes
In various fields of life,
The tribute we shall pay tonight.
Is to the doctor's wife.

The doctor, for his services
Receives renown and praise,
But let us also note his wife
So full of charm and grace.

We are indeed apt to forget
Her partnership and plight,
For after all, she also is
On duty day and night.

No set hours for his meals,
Nor time for rest and sleep,
A kettle always on the boil
At all times she must keep.

And what about those wintry nights
He leaves the cosy bed,
While she alone must toss and turn
And wait for him instead.

He then returns at dawn of day,
It can't be very nice
To try and nestle to a man
Who's like a block of ice.

To you, dear lady, we extend
Our thanks and tribute too,
For after all, you both are one
Who've served us well and true.

Fel y gorfoleddai'r hen ffyddloniaid gynt, gallaf innau ategu 'Amen'.

Cawsom ein hanrhegu'n hael, ond er cystal y rheiny roedd y cynhesrwydd a'r geiriau caredig yn golygu mwy. Bu'r beirdd lleol yn garedig iawn eu geiriau:

Wrth iacháu clwyfau cleifion – a rhannu
Â mawr rin gysuron,
Mor ddyfal eich gofalon,
Gwnâi i un llesg ganu'n llon.

Rhoesom ddiolch ein preswyl – o wybod
Fod gobaith in' eilchwyl,
Mewn adfyd roedd hefyd hwyl,
A gwiw wên meddyg annwyl.

O wella cur â llaw cariad – rhoddwn
ein rhwydd werthfawrogiad,
Haeddiannol ymddeoliad
I ŵr glew ac arwr gwlad.
D O Jones

Y gwas fu wrthi'n gyson – a'i allu
Yn gwella rhai cleifion;
Yn ei waith a'i obeithion
Dwy law oedd i'r ardal hon.
Ithon Jones

Bu'n dyner wrth ei werin – yn y glyn,
Yn ffrind glew mewn drycin;
Yn wrol ar nos erwin,
Yn wylaidd ar hafaidd hin.

Sawl claf ddwed na fu'i hafal – i droi'n wawr
    Drueni nos â'i ofal;
    Sawl gwaith rhoes obaith i'r sâl
    A'r gwan, sawl awr i'w gynnal.

Nid ei botel na'i eli – a wnâi'r wyrth
    Er mor wych oedd rheini;
    Ond ei wên, â'i daioni
    Y dyn hwn a'n mendiai ni.

Ni fu un oedd yn fwynach, – un o fri
    Ni fu 'rioed ei ffeindiach,
    Na'r un doctor rhagorach
    Yn y byd na Doctor Bach.

            Huw Selwyn Owen

Atgoffodd cyfarchion Ceinwen Ellis fi o'm gwreiddiau a'r oriau a dreuliais gyda'm chwaer yn troedio mynyddoedd Blaenau Ffestiniog. Ar y Moelwyn heibio i Lyn Cwmorthin drwy Cronlog i Groesor a dychwelyd drwy ddyffryn Maentwrog:

Iddo, mwyn oedd y Manod, – anwylai
    Y Moelwyn a'i gysgod.
    Er y nawdd, yma bu'r nod,
    Yma bu'r unig amod.

I ledrithiog gymdogaeth – y'i galwyd
    Yn golofn meddygaeth,
    A 'nelu at gynhaliaeth
    Pob gwendid cynhenid wnaeth.

Troi i annedd trueiniaid – a hybu
    Eu gobaith am ysbaid,
  I'w dŷ balm, rhodio di-baid
  Llawlyw unrhyw anghenraid.

Elfen cyfieithydd enwog, – ei arddel
    A'i urddo yn farchog,
  Mynnu llam tua'r Maen Llog
  Yn wylaidd, ond yn selog.

Ffynnodd tu hwnt i'w ffiniau – yr angerdd
    Yn rhengoedd tylwythau,
  A dry'n awr i gadarnhau
  Ei haeddiant a'i rinweddau.

Hedd a mwyniant ddymunwn – o ganol
    Hen gŵynion a'u byrdwn,
  A dyddiau hawdd o'r dydd hwn
  Heb banig nac opiniwn.

Nid yw unrhyw ddyn yn ynys, ond mae'n gymeriad
sydd wedi'i naddu gan ddylanwadau ei gydnabod a'i
gyfeillion. Llwyr gredaf yr hyn a ddywedais yn y
cyngerdd ymddeol, 'Chi sydd yn gyfrifol am yr hyn
ydwyf.' Nid aeth un diwrnod heibio nad oeddwn yn
mwynhau gweithio yng nghwmni'r bobl arbennig hyn.
O'r dydd cyntaf cefais groeso yn Uwchaled, a daw i'm
cof emyn Nantlais:

    Yn dy law y mae f'amserau,
    amser gwynfyd, amser croes,
    amser iechyd digymylau
    a chysgodion diwedd oes.

134

Cefais y fraint o sefyll ar aelwydydd y fro a rhannu llawenydd amser gwynfyd a thristwch cysgodion diwedd oes. Ni chaiff yr un meddyg fwy o anrhydedd na hynny. Pan ddaw awr fy hir gwsg, fy nymuniad yw cael gorffwys gyda'm cyfeillion yn naear gysegredig Uwchaled.